Les PLAISIRS du STRESS

Couverture
- Conception graphique:
  SOGIDES

Maquette intérieure
- Conception graphique:
  LAURENT TRUDEL
- Photocomposition:
  COMPOTECH INC.
- Illustrations:
  PETER KOVALIK

DISTRIBUTEURS EXCLUSIFS:

- Pour le Canada:
  AGENCE DE DISTRIBUTION POPULAIRE INC.*
  955, rue Amherst, Montréal H2L 3K4 (tél.: 514-523-1182)
  Télécopieur: (514) 521-4434
  * Filiale de Sogides Ltée

- Pour la France et l'Afrique:
  INTER FORUM
  13, rue de la Glacière, 75013 Paris (tél.: (1) 43-37-11-80)
  Télécopieur: 43-31-88-15

- Pour la Belgique, le Portugal et les pays de l'Est:
  S. A. VANDER
  Avenue des Volontaires, 321, 1150 Bruxelles
  (tél.: (32-2) 762.98.04)
  Télécopieur: (2) 762-06.62

- Pour la Suisse:
  TRANSAT S.A.
  Route des Jeunes, 19, C.P. 125, 1211 Genève 26
  (tél.: (22) 42.77.40)

Les PLAISIRS du STRESS

Dr Peter G. Hanson

Préface de
Sir Edmund Hillary
conquérant de
l'Everest

**Traduit de l'anglais
par
Françoise Gramet**

LES ÉDITIONS DE L'HOMME *

CANADA: 955, rue Amherst, Montréal H2L 3K4

*Division de Sogides Ltée

Données de catalogage avant publication (Canada)

Hanson, Peter G. (Peter George), 1947-

 Les plaisirs du stress

 Traduction de : The joy of stress

 2-7619-0654-3

 1. Stress (Psychologie).   2. Stress.   3. Santé.
I. Titre.

 BF575.S75H3614 1986   158'.1   C87-096011-3

Édition originale: *The Joy of Stress*
Hanson Stress Management Organization, Publisher
ISBN: 0-9691879-0-4

Bibliothèque nationale du Québec
Dépôt légal — 1 er trimestre 1987

ISBN 2-7619-0654-3

À mon épouse Sharilyn et à nos enfants Kimberley, cinq ans, et
Trevor, trois ans.

Préface

par Sir Edmund Hillary, K.B.E.,
vainqueur de l'Everest

Toute ma vie, j'ai été attiré par l'aventure — ascension du mont Everest, expédition au pôle Sud, remontée du Gange en hors-bord, et j'en passe. J'ai toujours aimé me colleter avec le danger; sans danger, le jeu n'en aurait pas valu la chandelle. Le danger est stimulant, et donne tout son sens à l'effort. Dans une certaine mesure, le stress est donc pour moi une source de plaisir, sans laquelle ma vie aurait manqué de piquant. En lisant Les Plaisirs du stress, j'ai été rassuré de voir que, médicalement parlant, mon «flirt» avec le stress m'a été bénéfique.

Peter Hanson nous livre ici sa conception du stress; très personnelle, elle est revigorante, positive et pratique. Si j'avais eu le courage de me soumettre à tous les exercices qu'il propose, j'aurais très probablement essuyé des échecs cuisants. Malgré cela, j'ai l'impression que le plan de gestion du stress

Le Dr Hanson et Sir Edmund Hillary partagent un moment agréable dans le jardin de l'auteur.

présenté ici en aidera beaucoup à mener une vie plus heureuse, tout en décuplant leur espérance de vie et leurs chances de réussite.

J'ai le plaisir de compter Peter parmi mes amis: il est le premier à appliquer ce qu'il préconise. C'est vraiment un fonceur qui a apprivoisé son stress. Médecin de famille, conférencier plein d'humour, écrivain, directeur d'une maison d'édition et leveur de fonds, il vise la perfection dans les multiples fonctions qui ne l'empêchent pas de trouver le temps de se consacrer à sa famille, de faire du sport et d'écouter de la musique.

Peter est convaincu qu'il est plus efficace de maîtriser son stress que de s'y assujettir. Les principes qu'il prône peuvent aider chacun de nous à réussir, tout en jouissant de la vie au maximum.

Sir Edmund Hillary

Avant-propos

À l'ère de la chirurgie à coeur ouvert et de la thérapie au laser, on pourrait penser que l'espérance de vie aurait fait, elle aussi, des progrès spectaculaires. Il n'en est rien. En dépit des traitements miracles et de la technologie de pointe, nos aînés meurent aujourd'hui pratiquement au même âge qu'il y a cent ans, alors que la médecine était encore très primitive. Pourquoi?

D'une part, nous avons tendance à adopter une attitude *passive* face à notre santé et à notre longévité (c'est-à-dire que nous faisons fi de notre santé jusqu'à la «panne», moment où nous nous en remettons aux médecins). En réalité, santé et longévité requièrent la participation *active* de chacun. D'autre part, nous sommes soumis à de nouveaux stress, complexes et sournois, auxquels nos réactions réflexes ne sont plus adaptées; des choix *éclairés* et réfléchis doivent donc y suppléer.

C'est pourquoi, en tant que médecin de famille, j'analyse le type d'affection qui frappe chaque patient, mais également le type de *patient* frappé plus spécifiquement par telle ou telle *affection*. Comment se contenter d'invoquer la «malchance» devant une crise cardiaque, un cancer du poumon ou des affections virales répétées? Ces cas douloureux ont un dénominateur commun: une mauvaise *gestion de vie*, généralement attribuable au stress.

Relativement facile à corriger, une mauvaise gestion de vie a cependant des conséquences déplorables. En situation de stress, le mauvais «gestionnaire» n'a pas le *sentiment* d'atteindre le maximum de ses capacités. Sur le plan financier et professionnel, compte tenu de ses compétences, son *rendement* est insuffisant. Pour ce qui est de sa santé, il est sujet à la maladie. Enfin, il est très probable qu'il mourra prématurément.

Malgré la foule de volumes traitant de stress, de santé, de prévention des accidents, de nutrition, d'obésité, de réussite et de motivation, la grande majorité des gens gèrent encore mal leur vie. La preuve en est donnée par le taux de mortalité et de maladie d'une part, par la qualité de vie d'autre part, et, de façon plus probante encore, par le manque à gagner considérable -- quelque dix milliards de dollars -- qu'assument les entreprises chaque année.

Beaucoup des volumes écrits jusqu'à présent font état de recherches menées par des spécialistes --cardiologues, médecins, nutritionnistes, etc. --, ce qui n'empêche pas nombre de patients de demander à leur médecin de famille dans quelle mesure ce qu'ils lisent s'applique à eux.

En tant que médecin de famille, j'ai le privilège d'entrer dans l'intimité des gens, de voir *comment ils vivent*: j'ai mis au monde plus de mille enfants, et vu plus de vingt mille patients au service d'urgence. J'ai une grosse clientèle en consultation. En tout, plus de quatre mille patients; j'en vois jusqu'à cinquante par jour -- à mon bureau, à l'hôpital, et même à domicile.

J'ai également rencontré des milliers de gens de par le monde, avec qui j'ai discuté de leurs problèmes et de leurs inquiétudes. Comme tous les autres médecins de famille, je vois des patients dont l'âge va de zéro à cent dix-sept ans. Tout comme un professeur expérimenté sait jauger ses élèves, un médecin de famille peut prévoir lesquels de ses patients vivront longtemps et en bonne santé et lesquels auront une vie écourtée et moins productive.

J'ai prodigué maints conseils, dont je sais qu'ils sont efficaces si on veut bien les suivre. Mais j'ai souvent prêché dans le désert. J'ai vu la peine assombrir les yeux de cette jeune mère de famille lorsque je lui ai annoncé que les soudaines douleurs thoraciques de son mari lui seraient fatales. J'ai eu à consoler deux jeunes enfants dont les parents ne reviendraient plus jamais parce qu'ils avaient négligé de boucler leur ceinture de sécurité. J'ai vu l'expression de détresse de ce fumeur atteint de cancer qui, connaissant pertinemment les dangers du tabac, pensait que *lui* serait épargné.

Je n'irai pas jusqu'à prétendre que tous les décès peuvent être prévenus, ni même -- c'est le cas du cancer des enfants -- expliqués. Mais si un casino peut se permettre de piper les dés, même *imperceptiblement*, pourquoi pas vous? C'est le moins que vous puissiez faire, pour vous-même et pour ceux que vous aimez. L'enjeu est de taille: votre santé -- physique et financière -- et votre bonheur.

Ce livre vous permettra de mettre toutes les chances de votre côté: faites mentir les indices de longévité et de productivité! Vous y trouverez des conseils *pratiques* que vous pourrez appliquer immédiatement et pour toujours. (Les bonnes résolutions que l'on abandonne trop vite pour retomber dans de vieilles habitudes néfastes sont inefficaces.)

Certains des sujets abordés dans ce livre vous sont certainement connus; certains autres le sont de votre médecin, qui vous les a peut-être déjà exposés. Beaucoup seront nouveaux pour vous -- autant les *faits* eux-mêmes que la *perspective* dans laquelle ils vous sont présentés.

Pour commencer par le commencement, nous ferons appel à vos notions d'anatomie. En effet, en situation de stress, certaines modifications anatomiques surviennent et, si vous ne les comprenez pas, peuvent jouer en votre défaveur. Vous devez ensuite identifier et mesurer les agents stressants auxquels *vous* êtes soumis: souvent dissimulés, il faut les démasquer pour pouvoir les combattre.

Enfin, vous apprendrez à mesurer votre propre *résistance* aux agents stressants qui vous affectent. Êtes-vous «à l'épreuve du stress»? Dans la négative, dix choix simples vous seront proposés afin de maximiser votre résistance au stress.

Nous aborderons rapidement la nutrition; ce simple besoin physique a donné lieu à une litanie interminable de régimes «à la mode», parfois ridicules et parfois carrément dangereux.

Nous parlerons de l'obésité et d'une façon réaliste d'arriver à manger *normalement*. En effet, après avoir constaté l'inefficacité des régimes à la mode, j'ai compris qu'une solution simple était indispensable. Celle que je propose ici peut être adoptée de façon définitive, sans devenir une torture ni vous obliger à supprimer à jamais vos plats préférés.

Puis nous analyserons le stress auto-induit (comportement de type A). Vous trouverez des suggestions qui vous aideront à le maîtriser.

Pensez-vous que votre vie est un succès? Si non, vos perspectives financières et votre espérance de vie sont probablement moindres.

Grâce à ce livre, vous pourrez mesurer votre réussite dans les quadrants: vie professionnelle, vie personnelle, argent et santé. Découvrez où *vous* vous situez.

En suivant les «Trois principes de Hanson» proposés ici, vous arriverez à maîtriser votre stress tout en vous accordant de petits plaisirs. Vous verrez également qu'il est plus efficace de vous centrer sur les *réalités* contrôlables qui se cachent derrière les excuses; en effet, regardez autour de vous: les autres sont souvent incapables de résoudre leurs problèmes parce qu'ils les attribuent à des circonstances incontrôlables.

J'espère vivement que ce livre saura vous divertir, vous instruire et vous motiver à mener une vie *longue*, saine et prospère.

Dr Peter G. Hanson

Remerciements

Je tiens à remercier tous ceux qui ont rendu ce livre possible. En particulier Jim O'Donnell, qui m'a poussé à le commencer, et Glenn Miller, qui m'a poussé à le finir; le Dr George Hanson, pour ses conseils paternels et pour l'aide qu'il m'a apportée lors de la photocopie du manuscrit; mes patientes secrétaires, Theresa et Faye, et mes patients patients; Donna Martin et l'équipe fantastique de Andrews, McMeel & Parker; et Barrie Maguire pour la mise en pages et les illustrations.

Merci au Dr Norman Vincent Peale; grâce à qui j'ai appris à concevoir des rêves positifs et à les mener à bien; au professeur Hans Selye dont les paroles ont toujours été pour moi une source d'inspiration; au Dr Bill Vail, président de l'Association médicale canadienne, pour ses sages conseils; à Laura Ferrier, pour ses talents dans le domaine de la promotion; à Sir Edmund Hillary, K.B.E., vainqueur de l'Everest, pour ses conseils stimulants; enfin à Joe Theismann, des Redskins de Washington, pour son amitié soutenue, ses conseils et le formidable équilibre dont il a fait preuve -- et dont j'ai été témoin, puisque je le soignais -- malgré l'intensité du stress auquel il était soumis lorsqu'il s'est cassé la jambe pour la première fois en 1972. L'immense courage que ce dernier a montré après sa dramatique blessure de 1985 est un exemple pour nous tous.

Je suis également très reconnaissant à la compagnie McGraw-Hill, qui m'a permis d'utiliser la courbe du syndrome général d'adaptation (S.G.A.), tirée de l'ouvrage du professeur Hans Selye *Le stress de la vie*; à la compagnie Pergamon Press, Ltd, qui m'a autorisé à utiliser l'Échelle d'évaluation du réajustement social de Holmes-Rahe, et à Larry Wilson, de la compagnie Wilson Learning Corporation, de Minneapolis, qui m'a permis d'utiliser la Typologie des comportements sociaux et le Guide d'identification des comportements sociaux présentés en appendice A.

15

Introduction

Quels sont donc les plaisirs du stress?

Le stress est une réaction individuelle. Le même événement, parler en public par exemple, peut créer du stress positif chez une personne et du stress négatif chez une autre.

Le stress peut être extrêmement *stimulant*, ou il peut être *mortel*. Tout dépend de vous. Tout comme vous pouvez apprendre à tenir compte des dangers du stress, vous pouvez apprendre à en tirer le meilleur parti.

Ce n'est pas pendant les entraînements que les records olympiques tombent mais pendant les compétitions, devant une foule impressionnante, alors que le niveau de stress est optimal. Un étudiant est plus efficace lorsqu'il étudie en vue d'un examen qui lui impose du stress. C'est devant une salle pleine qu'un comédien donne le meilleur de lui-même, et lorsqu'il évolue sans filet qu'un trapéziste se surpasse. Les joueurs de poker professionnels dédaignent une table où les enjeux ne sont pas élevés. Lorsqu'on joue pour des haricots et des boutons de culotte, le stress causé par la peur de perdre disparaît, et avec lui la concentration intense, le plaisir de bluffer et la joie de gagner. Beaucoup de ceux dont le travail est sédentaire recher-chent le stress en faisant du para-chutisme, de l'escalade, du ski al-pin, en allant voir des films d'hor-reur ou simplement en faisant un tour de montagnes russes. C'est le stress qui met du piquant dans leur vie.

S'il est excessif, le stress peut cependant devenir une force néga-tive. En voici quelques exemples. Aux Jeux olympiques, un sauteur en hauteur ayant reçu des menaces de mort -- ce qui lui impose un stress supplémentaire -- réalisera une con-tre-performance. À la suite de dé-boires sentimentaux, un premier de classe sera recalé à son examen, parce qu'il est incapable de se con-centrer. Insulté, humilié et agacé pendant trois semaines de répéti-

17

tions par un metteur en scène tyrannique, même le meilleur acteur pourrait donner la pire des interprétations.

Trop peu de stress peut être tout aussi désastreux. Après une vie active, l'oisiveté soudaine de la retraite peut, dans les deux ans, entraîner la mort ou la sénilité, à moins que le retraité ne trouve de nouveaux centres d'intérêt et donc de nouveaux stress. Certains découvrent, à leur grand désarroi, que la réalisation de tâches simples, dont ils étaient parfaitement capables lorsqu'ils travaillaient, leur demande maintenant toute une semaine. Et si les tâches sont quelque peu complexes, le résultat laisse bien souvent à désirer.

Le schéma de la page suivante montre que l'efficacité augmente avec le stress.

Cependant, passé le niveau optimal de stress, votre efficacité tombe rapidement, pouvant même descendre en dessous de zéro: soumis à un excès de stress vous devenez contre-productif -- pire qu'inutile! Si vous frisez votre niveau optimal de stress, une tâche, même minime, ajoutée à votre horaire surchargé (chercher désespérément vos clés un lundi matin, par exemple) peut suffire à vous faire atteindre le point critique. À ce moment-là, même des tâches qui ne présentent normalement aucune difficulté pour vous deviennent des montagnes insurmontables.

Ce schéma s'applique à tout le monde, mais la dose et la nature du stress requis pour atteindre le niveau optimal d'efficacité diffèrent pour chacun. De plus, il est dynamique, puisqu'il se modifie au fur et à mesure que votre vie change. C'est pourquoi vous devez vous y référer régulièrement.

Si vous êtes soumis à trop peu de stress, dites «oui» à des tâches supplémentaires, que ce soit à la maison, au travail ou dans vos temps libres. Pourquoi ne pas dire «oui» à une maison plus luxueuse, dans la mesure où ce serait un investissement valable. Ces responsabilités supplémentaires vous apporteront le stress qui vous manque et amélioreront votre niveau général d'efficacité (et de bonheur) de façon sensible.

Si, au contraire, vous êtes soumis à trop de stress, il vous faut tout d'abord apprendre à dire «non». Vous trouverez dans ce livre cer-

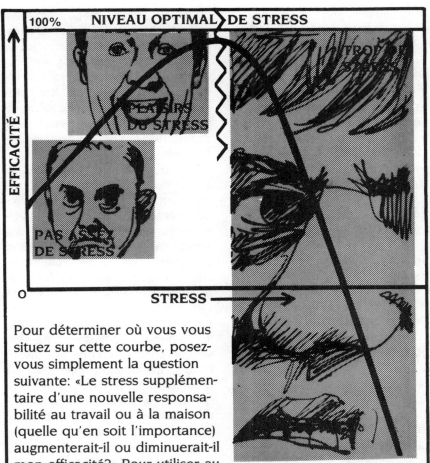

Pour déterminer où vous vous situez sur cette courbe, posez-vous simplement la question suivante: «Le stress supplémentaire d'une nouvelle responsabilité au travail ou à la maison (quelle qu'en soit l'importance) augmenterait-il ou diminuerait-il mon efficacité?» Pour utiliser au mieux votre énergie, assurez-vous de ne rien faire qui soit une perte de temps; tout ce que vous faites doit être essentiel à votre santé – physique ou financière – ou à votre bonheur.

tains trucs qui vous permettront d'utiliser vos capacités personnelles et votre potentiel propre pour mettre en place votre système de défense. Pour l'immédiat, élaguez certaines activités que vous jugez non essentielles comme le bénévolat, la participation à certains comités, ou même le bricolage; apprenez à déléguer quand cela est possible. Si vous êtes à deux doigts de la faillite personnelle parce que vous vivez au-dessus de vos moyens, déménagez dans une maison plus petite, vendez ce qui est inutile et simplifiez votre vie.

Connais-toi toi-même et tu connaîtras les joies du stress. Au moment de choisir votre carrière, spécialisez-vous dans un domaine compatible avec vos aptitudes; par la suite, recherchez les activités qui mettront cette spécialisation à profit. Comptabilisez votre stress, puis faites les choix judicieux qui vous permettront de vous prémunir contre le stress au lieu d'y être vulnérable. (Voir l'échelle de résistance au stress de Hanson, au chapitre 3.)

Essayez de maximiser vos chances de réussite en investissant temps et énergie dans chacun des quadrants de votre vie – indépendance *financière*, vie *personnelle* heureuse, bonne *santé* et respect *au travail*. (Voir le chapitre 9.)

Dès que vous posséderez les connaissances qui vous permettront de bien gérer votre vie, vous pourrez goûter aux *Plaisirs du stress*. En prime, vos *bonnes* années seront plus nombreuses que vous ne l'escomptiez, et votre réussite financière dépassera toutes vos espérances. C'est simple comme bonjour. Inutile d'acheter des suppléments alimentaires coûteux ou d'investir dans des programmes de santé compliqués.

C'est simple, mais... ce n'est pas toujours facile. Pour certains, faire l'un des choix judicieux que je proposerai plus tard et s'y tenir est un acte héroïque, du moins les quelques premières fois. Rassurez-vous, une fois cette bonne habitude prise, les choix absurdes deviendront de moins en moins attrayants.

Alors, comment expliquer le grand nombre d'échecs? Malheureusement, par l'incompétence inconsciente et l'hostilité à peine voilée envers quiconque menace des «vices» sacrés. De façon générale, on pense que, pour vaincre le stress et vivre longtemps, il faut mener une vie d'ascète, dénuée de tout intérêt, soumise à une discipline de fer et à une abnégation totale; en plus d'être fausse, cette idée semble constituer l'une des justifications irréfutables d'un mauvais mode de vie. Nombreux sont ceux qui voient le *stress* comme une réalité négative; ils perçoivent donc également la *gestion du stress* de façon négative.

Lorsqu'ils lisent dans les journaux qu'un sportif amateur est mort en plein exercice, il leur est difficile de réprimer un sourire: leur inactivité s'en trouve justifiée, et ils continuent à entasser leurs mégots dans leur tasse de café vide.

La réalité est tout autre. Ce que je recommande à chacun de mes patients et à *vous*, lecteur, c'est d'être égoïste: profitez au maxi-

mum de la vie, pendant aussi longtemps que vous le pouvez. Soyez
spontané. Soyez drôle. Mangez
normalement. Prenez un verre de
vin ou de bière, si vous en avez envie. Courez ou faites de la bicyclette, cheveux au vent. Soyez fier de
votre corps puisqu'il est en bonne
forme; appréciez chaque pas fait
aux côtés de vos enfants et des enfants de vos enfants.

Apprenez quelque chose chaque jour. Prenez le temps de jouir
de tous vos sens et laissez-vous envahir par la beauté des couleurs,
des textures, des sons et des
odeurs. Menez vos affaires en toute
intégrité. Forcez le respect de vos
collègues, bâtissez des amitiés solides, gagnez l'amour de vos enfants
et de votre conjoint. Repoussez les
limites de la sénilité, et étirez vos
années productives autant que
vous le pouvez. Ce sont *Les Plaisirs
du stress*.

1. Le stress et votre espérance de vie

«Centenaire, moi? Inutile d'y penser!

S'il n'en tenait qu'à nous, nous refuserions certainement tous de mourir sur l'heure; mais combien accepteraient de gaîté de coeur de vivre jusqu'à cent ans? Pourquoi? Parce que notre société nous présente une image terriblement stéréotypée des centenaires: faibles et décrépits, ils sont mis sur la sellette et pomponnés pour la traditionnelle photo devant leur gâteau d'anniversaire, puis retombent presque immanquablement dans un oubli feutré. Depuis environ vingt ans, les médias ont tellement mis l'accent sur la jeunesse que, pour beaucoup, la quarantaine est déjà le commencement de la fin...

Et pourtant, les progrès de la médecine, une alimentation et un style de vie mieux équilibrés devraient nous permettre maintenant de faire tomber ces stéréotypes: Robert Redford et Jane Fonda n'ont-ils pas modifié l'image du quadragénaire, Joan Collins terrassé le dragon de la ménopause, et George Burns ouvert une nouvelle

voie aux quatre-vingts ans et plus?

Ce que nous acceptions jusqu'à présent comme des caractéristiques normales du vieillissement ne sont en réalité que les conséquences d'une sous-utilisation ou d'une mauvaise gestion du corps humain. Au cours de mes consultations, j'ai souvent remarqué que la *mauvaise gestion* (ou, pour être plus direct, *l'incompétence*) constitue la cause la plus courante de maladies... parfois mortelles.

Nul n'ignore qu'une mauvaise gestion peut mener une entreprise à la faillite, ou causer à une automo-

Dans notre société, la vie a trois étapes:

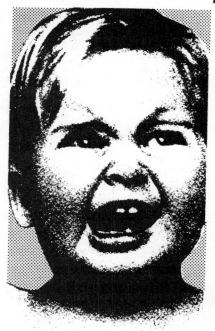

1. La jeunesse.

2. La maturité.

24

3. La vieillesse

bile des pannes inexplicables dues au manque d'entretien. De la même façon, une mauvaise gestion physique peut entraîner un «vieillissement et un raidissement» des muscles, un «ramollissement» du cerveau, un durcissement des artères. Bref, une mort prématurée.

De toute évidence, nous ne sommes pas tous appelés à être centenaires; mais tout un chacun se doit de lutter pour obtenir le «meilleur kilométrage» possible. Personne ne devrait mourir avant que son heure ait sonné.

Actuellement, il y a environ trois centenaires pour cent mille Américains. Dans d'autres civilisations plus primitives (comme en Abkhazie, cette région de la Géorgie soviétique, ou au Hunza, état voisin de l'Afghanistan, cette proportion varie entre quarante et soixante pour cent mille habitants.

Si on les étudie plus attentive-ment, ces sociétés, bien que toutes très différentes les unes des autres, ont un point commun: leurs aînés vivent encore des *stress*. Tant physiquement qu'intellectuellement, leur rôle dans la conduite des affaires du groupe dont ils font partie intégrante demeure primordial, jusqu'au jour même de leur mort.

Dans ces sociétés, le stress et les responsabilités des aînés, bien loin de diminuer, augmentent avec l'âge. Le même phénomène ressort d'ailleurs à l'examen de certains groupes de notre société, dont l'espérance de vie est supérieure à la moyenne: chefs d'orchestre symphonique, artistes très populaires, membres actifs du milieu des affaires, femmes figurant dans le *Who's who*, religieuses et mormons, entre autres.

Un grand absent au palmarès de la longévité: le groupe des retraités totalement inactifs. N'est-ce pas, malheureusement, l'«âge d'or» que beaucoup d'entre nous se préparent? Les maisons de retraite ont d'ailleurs été conçues pour «protéger» les personnes âgées des stress de la vie quotidienne (magasinage, embouteillages, tâches ménagères, jardinage, etc.). Il est désormais évident que les personnes âgées *souffrent* d'être protégées de ces stress (hormis, bien sûr, les cas où des affections physiques rendent ces activités douloureuses, dangereuses ou impossibles).

Par ailleurs, les groupes qui n'ont aucun contrôle sur leur situation de stress — pompiers, contrôleurs aériens, agents de la paix ou travailleurs à la chaîne, par exemple — ont une espérance de vie bien inférieure à la moyenne.

Le vieillissement: un mythe

Examinons de plus près ce mythe ambulant qu'est une personne âgée. À tort ou à raison, la personne âgée est vue (par elle-même et par les autres) comme:

1. Inutile

Écartée du marché du travail à soixante ou soixante-cinq ans.

2. Inactive sexuellement

Présentée comme «vieille et laide» par les médias.

3. Séquestrée

Placée dans des ghettos pour personnes âgées — maison de retraite, immeubles réservés aux aînés, terrains pour maisons mobiles — où elle n'a que de très rares interactions avec d'autres groupes d'âge.

4. Pauvre

L'inflation et la non-indexation des retraites font des personnes âgées des pauvres chroniques. Elles doivent donc accepter de vivre aux crochets de leur famille ou de la société (celles qui sont plus à l'aise peuvent se permettre de payer pour l'entretien de leur maison et conserver ainsi leur indépendance).

5. Sénile

Les personnes âgées étant protégées des stress de la vie quotidienne, leur mémoire à court terme n'est aucunement stimulée. C'est pourquoi leur conversation revient presque naturellement «au bon vieux temps». En fait, les souvenirs qui stimulent le plus nos aînés sont également ceux qui comportent un taux de stress — positif ou négatif — *élevé*: mariages, naissances, guerres, épidémies, ouragans, blizzards, inondations ou... la Grande Dépression.

6. Déprimée et «burned out»

Sous peine d'être taxé d'un manque évident de rigueur scientifique, je me permets de livrer ici le signe grâce auquel j'identifie le moment où un aîné a jeté l'éponge: c'est celui où, volontairement, il (ou elle) cesse de s'acheter des vêtements neufs. Dépressive et sentant sa mort proche, la personne âgée voit cet achat comme désormais inutile. Cette disposition d'esprit négative, que trahissent des vêtements élimés, est un signe classique: la flamme est éteinte. Avec une alarmante régularité, ces mêmes personnes qui ont jeté l'éponge et cessé le combat, s'abandonnent à leur dépression jusqu'au tombeau.

7. Affaiblie physiquement

Le vieillissement, il est vrai, entraîne des modifications destructrices de l'organisme. Les tissus conjonctifs commencent à dégénérer et les tissus élastiques perdent de leur souplesse. Les disques inter-vertébraux se tassent; il s'ensuit un rapetissement pouvant aller jusqu'à deux centimètres. Les cordes vocales ont tendance à durcir, et la voix peut passer d'un mi à un sol. La peau devient moins charnue et moins élastique. (Tous ces phénomènes sont amplifiés par de trop longues expositions au soleil ou par une ingestion d'alcool excessive et, bien sûr, par le stress. Voir le chapitre 10.)

Modifications du cristallin (entraînant des cataractes), perte de cheveux, autant de symptômes du vieillissement qui nous sont familiers, mais qui céderaient tous à certaines mesures préventives. *En effet, nombre de ces symptômes, acceptés comme normaux, sont uniquement imputables à une mauvaise gestion physique.*

Prenons l'exemple typique de l'atrophie musculaire. Nos muscles n'ont pas, gravée sur chaque fibre, notre date de naissance! Ils ne savent qu'une chose: s'ils ont ou non travaillé récemment. Or, une personne âgée typique n'a fait aucun exercice régulier depuis des dizaines d'années; peut-être même n'en a-t-elle jamais fait.

L'illustration parfaite de ce qui précède nous est fournie par les

paysans, qui, résistant à l'appel de l'urbanisation industrielle, se consacrent encore au travail des champs: chez eux, le taux d'atrophie musculaire est largement inférieur au taux considéré comme «normal» pour leurs cousins de la ville.

L'arthrite, elle aussi, est trop souvent associée au vieillissement, alors qu'en réalité, cette maladie atteint tous les groupes d'âge. Nombre de personnes âgées souffrent d'atrophie musculaire parce qu'elles cessent de faire travailler les muscles de leurs mains ou de leurs jambes; par comparaison, les articulations paraissent démesurément grosses, sans pour autant être atteintes d'arthrite. De plus, lorsque les muscles des cuisses manquent de tonicité, il arrive que les genoux «craquent» à chaque pas. Ils peuvent alors enfler et devenir douloureux. Là encore, des exercices appropriés éviteront ces désagréments.

Les résultats de certaines recherches ont permis de constater un affaiblissement du processus immunitaire chez la personne âgée: une hormone, la *thymosine*, provoque une régression constante du thymus, amoindrissant ainsi le système de défense de l'organisme contre les infections, y compris contre le cancer. Peut-être y aura-t-il un jour sur le marché un substitut thymosinique qui, au même titre que les suppléments vitaminiques ou alimentaires, permettrait de rééquilibrer le taux de thymosine dans le sang.

Outre son rôle dans le processus immunitaire, la thymosine est nécessaire à la production de l'ACTH, substance à partir de laquelle les glandes corticosurrénales produisent à leur tour l'adrénaline. La thymosine entre également en jeu dans la production de la béta-endorphine ou hormone du «bien-être», dont les propriétés sont comparables à celles de la morphine. Ces deux substances sont produites par l'hypothalamus. Or, il est prouvé que le vieillissement cause une baisse de leur taux dans le sang. Il y a donc une cause réelle, physiologique, aux douleurs incessantes qui tracassent les personnes âgées, chez qui quelques heures de jardinage peuvent entraîner une somme

de maux dont elles auraient été exemptes plus jeunes. Fort heureusement, les recherches actuelles s'appliquent à soulager ces douleurs symptomatiques de la vieillesse. Il est intéressant de noter que, depuis des milliers d'années, l'art traditionnel de l'acupuncture traite ces symptômes avec succès. On reconnaît d'ailleurs aujourd'hui qu'un traitement d'acupuncture peut générer une décharge d'ACTH et d'endorphine.

Selon Hans Selye, chacun de nous naît avec un certain capital d'*énergie d'adaptation*, qui pourrait se comparer à un sac de pièces d'argent hérité de nos parents; mais une fois dépensées, les pièces ne peuvent être remplacées. Pour sa part, Lord Moran, médecin personnel de Winston Churchill, parle de «courage» dans le cas des soldats traumatisés. Chacun de nous hérite d'une réserve d'énergie d'adaptation — ou de courage — qui, une fois dépensée fait place au «burnout». La sénilité chez les personnes âgées et l'état de choc suivant un bombardement chez les jeunes soldats sont comparables, ces deux états semblant découler du fait que le sujet a dépensé toute son énergie d'adaptation.

Les femmes et la longévité

Actuellement, les personnes âgées sont en grande majorité des femmes. Les hommes de leur âge ont, dans bien des cas, succombé aux guerres, aux excès de tabac ou d'alcool, et à trop de *stress* provoqué, dans une large mesure, par la course contre la montre inhérente aux chaînes de fabrication du vingtième siècle. Nous verrons cette question en détail au chapitre 8. (Ceux d'entre vous qui viennent tout juste de s'y précipiter ont probablement identifié leur comportement comme un comportement de type A. Vous, moins que quiconque, pouvez vous permettre de sauter des parties complètes de ce livre-ci!)

Dans le passé, les femmes étaient à l'abri des guerres, des cigarettes (habitude inacceptable socialement) et de la course folle des chaînes de montage (de par leur rôle spécifique dans la société). Il ne s'agit pas ici de minimiser le stress qu'engendre l'éducation des enfants; mais cette tâche n'implique généralement pas une course perpétuelle contre la montre.

Cependant, il serait faux de penser que les femmes continueront à vivre plus longtemps que leur homme. Avant l'ère industrielle, c'étaient les hommes qui vivaient plus longtemps. Cela s'expliquait par:

1. Le nombre important de femmes mortes en couches.
2. Le rude travail des hommes aux champs: ils faisaient constamment de l'exercice physique, sans pour autant ressentir la pression du temps. De plus, ils avaient un *contrôle* plus direct sur leur produit fini (dans le cas présent, la nourriture) que n'en a un travailleur à la chaîne.
3. Le tabagisme moins élevé.
4. L'inexistence de la «retraite oisive».

Mais les choses changent. Aujourd'hui, les femmes se sont taillé une place de choix sur le marché du travail, et se lancent donc à leur tour dans la course contre la montre. On ne les envoie pas encore au front, mais elles ont déjà un rôle actif au sein des forces policières. L'usage du tabac est maintenant socialement tout aussi acceptable pour les hommes que pour les femmes, et d'ailleurs, chez les adolescents, les filles fument plus que les garçons.

Toute l'économie nord-américaine étant bâtie autour du fait que la plupart des familles peuvent compter sur deux salaires — pensez aux prix des maisons —, les femmes doivent rester sur le marché du travail plus longtemps qu'auparavant. Malgré cela, l'éducation des enfants incombe encore et toujours aux femmes, que seuls les moyens de contraception sont venus délivrer des familles nombreuses.

À l'époque de nos parents, il était peu courant pour une femme de travailler à l'extérieur du foyer; son rôle essentiel était l'éducation des enfants. C'est ce qu'on a inculqué pendant leur enfance aux mères qui sont actuellement sur le marché du travail, et qui se sentent coupables lorsqu'elles agissent différemment. En réalité, lorsque les parents travaillent tous les deux à l'extérieur, il est indispensable de modifier la dynamique des rôles au sein de la cellule familiale. Certaines femmes sont encore à cheval sur ces deux rôles, souffrant de culpabilité et du stress qui en résulte.

On voit donc aujourd'hui de plus en plus de femmes victimes — au même titre que les hommes — de maladies liées au stress (une preuve de plus que les ovaires ne sont pas le siège de la longévité). Demain, le jeune cadre dynamique frappé d'une crise cardiaque sera aussi bien un homme qu'une femme.

Pourquoi ne vivons-nous pas plus longtemps?

Physiologiquement, compte tenu du nombre des divisions cellulaires de chacun de nos organes, le corps humain peut vivre de cent à cent cinquante ans, âge avant lequel tout décès deviendrait donc «prématuré», et qui nous permettrait de situer la «force de l'âge» aux alentours de soixante ans!

L'exemple de Winston Churchill est parfois cité par certains, dans l'espoir de défendre leurs mauvaises habitudes: il a bien vécu jusqu'à quatre-vingt-dix ans en dépit du fait qu'il fumait, buvait, était obèse et ne faisait aucun exercice. Certes, mais il aurait sans doute pu vivre quelques dizaines d'années de plus,

et ce n'est qu'à sa constitution et aux effets stimulateurs de stress constants que Winston Churchill doit d'avoir vécu aussi longtemps: il avait soixante-dix ans lorsqu'il a été élu premier ministre de Grande-Bretagne pour la première fois; la seconde fois, il en avait soixante-dix-sept.

Sa résistance au stress était également décuplée par une relation de couple harmonieuse et par sa capacité de faire des sommes réparateurs. (Voir au chapitre 4 la section intitulée «Comment faire une sieste éclair».)

De toute évidence, et le peu de gens vivant au-delà de soixante-quinze ans le prouve, notre façon de vivre comporte des lacunes. Mais cette situation peut être changée. Il suffit bien souvent de mieux gérer sa santé pour éviter de mourir si «jeune».

Le stress et la santé

On estime que les accidents et les maladies liés au *stress* sont à l'origine des trois quarts des pertes de temps de travail. Le stress est également plus ou moins directement la cause de la plupart des consultations, hospitalisations et enterrements. Malgré l'accent mis sur la santé dans tous les médias, la grande majorité des victimes de problèmes reliés au stress sont prises par

surprise: le stress frappe les autres, mais pas *nous*. Les maladies ou les accidents mortels totalement fortuits (les malchances) sont heureusement rares.

Ce que certains font pour se retrouver à l'hôpital:
1. Ne pas attacher leur ceinture de sécurité
2. Choisir une mauvaise réponse au stress (drogue, tabac, alcool ou nourriture) (Voir le chapitre 3)

3. Provoquer un accident stupide parce que leur taux d'erreur est élevé (Voir le chapitre 2)

32

4. Sous-estimer leurs loisirs en travaillant trop et en utilisant leurs précieux moments de détente de façon inefficace (Voir la section portant sur le comportement de type A, au chapitre 8)

5. Prendre leur *santé* pour acquise et omettre de faire figurer les besoins de leur corps sur la liste de leurs priorités quotidiennes

C'est au moment précis où les gens subissent le plus haut degré de stress que leur corps est le plus en danger. Le professeur Hans Selye a montré que l'on pouvait induire une maladie, le vieillissement prématuré, un durcissement des artères et donc une mort prématurée chez les rats en leur imposant une dose excessive de stress. (Par exemple, il leur apprenait à exécuter une tâche pour laquelle il leur imposait une punition par la suite.) Le décès peut ne pas être dû à un accident grave, comme l'ulcère à l'estomac, la colite ou l'arrêt cardiaque résultant de dépôts de cholestérol dans les artères. Toutes les glandes lymphatiques subissant un rétrécissement prévisible et important, le système de défense se trouve amoindri, et les rats peuvent mourir d'une infection mineure se compliquant en pneumonie, en septicémie ou en méningite sévère.

Donc, attention: en situation de stress, cela peut vous arriver. Faute d'apprendre à maîtriser votre stress, vous vous exposez à un affaiblissement de votre état général, à la maladie ou même à une mort prématurée.

Tout ceci a été prouvé maintes et maintes fois: après un tremblement de terre à Athènes, le nombre des décès par crise cardiaque, entre autres, avait augmenté considérablement; pendant les périodes de froid intense ou pendant les canicules, on remarque également une augmentation des décès chez les personnes âgées.

Pour citer un exemple tiré de ma propre expérience, l'une de mes patientes de quatre-vingt-deux ans est morte récemment, quelques mois seulement après son mari. Elle souffrait d'un cancer dont la progression lente lui avait donné une rémission de plusieurs dizaines d'années, mais qui, après la mort de son mari, s'accéléra soudainement. Bien plus que le cancer, la cause réelle de sa mort était le décès de son mari — sans la disparition duquel le cancer de ma patiente n'aurait probablement pas évolué.

L'importance d'un interrupteur de stress

Pour survivre au stress et s'en nourrir, il faut disposer d'un *interrupteur*.

Dans le cadre d'une recherche menée récemment, on demandait à deux groupes de travailleurs de réaliser des tâches exigeant une certaine concentration. Les deux groupes étaient exposés à des bruits de fond très distrayants comprenant des bruits de machines, des klaxons et des conversations bruyantes tenues dans des langues inconnues des sujets. Chacun des membres d'un seul des deux groupes disposait d'un interrupteur, placé à portée de la main, lui permettant de se soustraire aux bruits lorsqu'il le désirait.

Comme prévu, le groupe disposant de l'interrupteur eut la productivité la plus élevée et la plus constante. Fait plus intéressant encore, *personne n'utilisa l'interrupteur*: il suffisait de savoir qu'il était là.

Nous pouvons tirer une conclusion importante de cette expérien-

N'ayez pas peur d'utiliser tous les interrupteurs dont vous disposez — vous pourriez commencer en vous servant du bouton «arrêt» de votre radio ou de votre télévision lors des passages stressants du bulletin de nouvelles.

ce. Il est essentiel d'avoir une quelconque forme d'«interrupteur» dans votre propre vie: vous pourrez mieux supporter les agents stressants qui vous entourent, et vivre une vie beaucoup plus satisfaisante. En effet, si vous n'avez pas l'impression de maîtriser votre stress, il vous atteindra très sûrement.

Les grands titres des médias vous bombardent de désastres spectaculaires et de mauvaises nouvelles, toutes choses auxquelles vous ne pouvez rien changer. C'est bien là une mise à profit commerciale des réalités de la nature humaine: les gens ne peuvent généralement pas s'empêcher d'arrêter leur voiture sur l'accotement de la route pour se rincer l'oeil de quelque accident.

Vous serez beaucoup moins stressé si vous adoptez comme principe d'éviter toute forme d'information sensationnaliste contenant de la violence, pour consacrer votre temps à des articles plus substantiels.

La méthode Hanson vous permet de maîtriser votre stress: apprenez à ignorer ce que vous ne pouvez pas changer, et essayez de changer ce qui est dans votre sphère d'influence. Vous serez surpris de constater que vous *avez* une certaine influence sur la grande majorité des événements de votre vie.

Commençons à établir votre système de défense contre le stress en rappelant quelques notions simples d'anatomie.

L'anatomie du stress

Votre corps est un galion

Pensez à votre corps comme à un galion, magnifique mais désuet, qui, face à son «ennemi» le *stress*, dispose d'armes nombreuses, puissantes et complexes. Au fur et à mesure de votre lecture, vous serez impressionné par vos propres réactions, et par les forces surhumaines que vous pouvez déployer en situation de «combat ou de fuite». Par exemple, une femme de 110 livres a soulevé le tracteur sous lequel son fils était coincé, assez haut et assez longtemps pour qu'il se libère; c'est parce qu'elle était en situation de stress qu'elle a pu déployer une force aussi grande.

Malheureusement, notre fier galion a un problème: les temps ont changé, l'ennemi aussi, et ses armes, bien que merveilleusement conçues, ne sont plus adaptées au combat. En effet, les réactions de notre corps aux agents stressants ont été programmées pour la survie de l'homme d'il y a des milliers d'années, avant même qu'il soit «civilisé». Aujourd'hui, les agents stressants auxquels nous sommes soumis ne sont plus que rarement une question de vie ou de mort; ils sont autrement plus complexes. La surpopulation, les embouteillages, la pollution, la bureaucratisation, autant d'agents stressants pratiquement inconnus il y a deux cents ans seulement.

Dans le contexte moderne, il est essentiel de bien savoir comment votre corps fonctionne afin de développer vos capacités pour lutter contre le stress, le maîtriser et même vous en *nourrir*. En effet, vos réflexes automatiques doivent maintenant céder la place à une *défense réfléchie*.

Les réactions au stress sont physiques autant que psychologiques

Outre les réactions physiques bien connues — transpiration et accélération du rythme cardiaque —, il existe des réactions psychologiques au stress. Pendant la Seconde Guerre mondiale, il n'était pas rare que les soldats «s'inventent» inconsciemment des maladies afin de ne pas aller au front: certains pilotes souffraient de douleurs oculaires, ce qui les rendait inaptes à piloter leur avion au-dessus du territoire ennemi; les parachutistes ressentaient des douleurs aux pieds ou aux chevilles, ce qui, de toute évidence, leur interdisait de sauter. L'on est en droit de se demander de quelles douleurs les fantassins d'arrière-garde pouvaient bien se plaindre...

Au même titre que nos réactions psychologiques, nos réactions physiques au stress peuvent nous être salutaires, surtout si les dangers sont «démodés». En fait, elles peuvent même nous sauver la vie, comme en témoignerait quiconque s'est surpris à courir plus vite qu'il ne s'en croyait capable pour échapper à un chien en furie.

Le corps humain est très bien armé contre les agents stressants primaires. Par contre, son système de défense laisse à désirer face à des stress plus minimes mais plus insidieux: la perte de son trousseau de clefs, le bourdonnement d'un moustique pendant la nuit, le bruit d'une goutte d'eau ou les lamentations constantes d'un enfant. Le corps manque vraiment d'humour.

Voyons de plus près certaines des réactions spécifiques du corps aux agents stressants, et comment les *avantages de jadis* peuvent devenir des *inconvénients aujourd'hui*, si l'on s'en remet à ses réflexes automatiques.

Les réactions naturelles au stress

1. La cortisone
2. La thyroïde
3. L'endorphine
4. Les hormones sexuelles
5. Le système digestif
6. Le sucre et l'insuline
7. Le cholestérol
8. L'accélération cardiaque
9. L'apport d'oxygène
10. Le sang
11. La peau
12. Les sens

Les réactions naturelles au stress

1. La décharge de cortisone par les glandes surrénales

Les avantages de jadis

Protection contre une réaction allergique immédiate (asthme ou clignement des yeux), due à la poussière produite par un combat.

Les inconvénients d'aujourd'hui

Si on en augmente le niveau de façon chronique, la cortisone détruit la résistance du corps au stress causé par le cancer, par les infections, par une intervention chirurgicale ou par la maladie. Chacu-

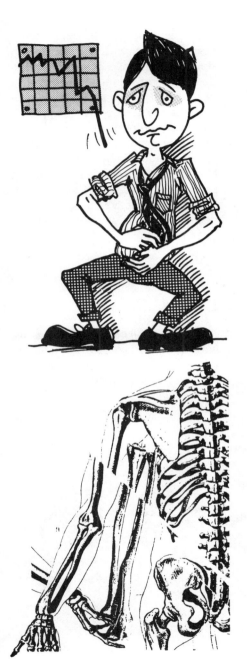

ne des glandes lymphatiques du corps rétrécit, et les réactions du système immunitaire s'amenuisent, ce qui diminue grandement la capacité du corps de lutter contre des affections mineures tel un simple rhume et, à plus forte raison, contre des maladies graves.

L'exemple le plus courant est celui des jeunes enfants qui, au cours de leurs cinq ou six premières années d'école, contractent des maladies contagieuses répétées, en partie parce qu'ils sont exposés à plus de microbes, mais surtout parce que leur résistance est amoindrie par le stress de quitter le confort douillet de leur foyer pour le brouhaha de la vie en société. Les adultes, eux aussi, ressentent le même phénomène lors d'un changement d'environnement: les enseignants sont souvent atteints de rhumes, attrapés de leurs élèves au cours des cinq premières années de leur carrière. Les pédiatres sont encore plus à plaindre: il arrive souvent qu'ils soient atteints de diarrhée pendant les cinq premières années de leur formation!

Une augmentation chronique du niveau de cortisone réduit de façon importante la résistance de l'estomac à l'acide qu'il sécrète, ce qui cause des ulcères gastriques et duodénaux, ou peut aggraver une colite.

La cortisone rend également les os plus fragiles et augmente les risques de fractures. De plus, si le

41

coeur est fragile, elle peut provoquer une augmentation de la tension artérielle due à une rétention de sel, et constituer ainsi l'élément déclencheur d'un accident cardiaque. (La réaction courante qui consiste à se jeter sur de la nourriture toute prête, riche en sel, est, dans ce cas-ci, plus dangereuse encore.) Les glandes surrénales produisent également de l'adrénaline qui, comme nous le verrons plus loin, déclenche toute une série de réactions physiques.

2. L'augmentation du taux d'hormone thyroïdienne dans le sang

Les avantages de jadis

L'hormone thyroïdienne provoque une accélération du métabolisme. Le corps brûle donc ses réserves énergétiques plus rapidement et en tire un surplus d'énergie.

Les inconvénients
d'aujourd'hui

Intolérance à la chaleur, nervosité pouvant aller jusqu'à l'agitation, perte de poids immanquable (*si* l'apport calorique reste constant), insomnie et, finalement, épuisement et «burnout». Si certains obèses gagnent du poids en réaction au stress, c'est qu'ils combattent les effets de leur glande thyroïde à grands renforts de calories supplémentaires.

3. Décharge d'endorphine par l'hypothalamus

Les avantages de jadis

Identique à la morphine, l'endorphine est l'hormone du «bien-être». C'est un anesthésique puissant. En situation de stress, le soldat ne sent pas sa blessure, le boxeur ignore une fracture, la mère ne ressent pas les douleurs de l'accouchement aussi vivement, le marathonien prend son second souffle, et ses douleurs s'estompent. Chaque fois, le niveau d'endorphine s'élève, comme si le corps possédait une sagesse intrinsèque.

43

Les inconvénients d'aujourd'hui

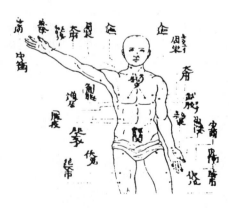

Le stress chronique peut attaquer nos réserves d'endorphine, ce qui, nous en sommes sûrs aujourd'hui, aggrave les migraines, les douleurs au dos et même les douleurs arthritiques (*sans* aggraver l'affection elle-même).

Il est prouvé que l'acupuncture et la stimulation nerveuse transcutanée augmentent le niveau d'endorphine et réduisent les douleurs dans la plupart des cas mentionnés plus haut. Les dentistes peuvent utiliser ces techniques et obtenir un effet anesthésiant assez important pour réaliser certaines interventions. Les vétérinaires utilisent l'acupuncture sur des chevaux de course blessés (sans que les analyses d'urine révèlent aucune substance interdite). Aux Jeux olympiques, on traite désormais les athlètes blessés par stimulation nerveuse transcutanée et par acupuncture, car les médicaments généralement utilisés pourraient être détectés et entraîner une disqualification. Et, faut-il le rappeler, en Chine et dans plusieurs autres pays, les médecins utilisent cette technique pour anesthésier leur patient avant une intervention chirurgicale importante.

4. La diminution des hormones sexuelles: la testostérone chez l'homme la progestérone chez la femme

(On observe de plus, chez l'homme, une réaction supplémentaire de rétraction des testicules assurant une meilleure protection.)

Les avantages de jadis

Diminution de la fécondité. En période de sécheresse ou de disette cette réaction était justifiée dans le passé, puisqu'elle réduisait le nombre de bouches à nourrir. Les soldats et les chasseurs étant séparés de leur partenaire pendant longtemps, une diminution de la libido rendait la vie plus supportable à l'homme comme à la femme, et leur permettait de se consacrer exclusivement aux tâches essentielles, sans distraction aucune.

Les inconvénients d'aujourd'hui

Bien que ni l'un ni l'autre des partenaires n'en soit conscient, le stress s'accompagne immanquablement d'une diminution de la libido, ce qui entraîne des tensions évidentes et un échec probable de toute tentative de rapport sexuel. Le problème le plus courant est l'éjaculation précoce chez l'homme, et l'absence d'orgasme chez la femme. La plupart des couples ignorant que leurs difficultés sexuelles sont une conséquence physique du stress, j'ai remarqué qu'en général ils expriment leur anxiété de façon inappropriée.

Ils s'engagent parfois dans une guerre froide ou, adoptant un comportement obsessivo-compulsif, se découvrent une phobie du cancer ou de l'accident cardiaque. En dernier recours, il arrive parfois qu'ils cherchent de nouveaux partenaires sexuels.

Depuis toujours, les médecins recommandent aux couples stériles de partir en croisière ou de faire un voyage: les occasions de rapports sexuels sont plus nombreuses d'une part, mais d'autre part, les taux de testostérone et de progestérone augmentant, la concentration du sperme et le nombre d'ovulations augmentent également.

Forte de cela, l'industrie du voyage base ses campagnes publicitaires sur le fait que les destinations-soleil permettent aux clients de se libérer de leurs inhibitions et de leur stress, ce qui les rend sexuellement plus actifs.

5. La fermeture de tout le système digestif

Les avantages de jadis

Le sang était ainsi dévié vers les muscles, et vers la «chambre des moteurs» constituée par les poumons et le coeur; cette «autotransfusion» salvatrice permettait de réaliser des prouesses musculaires (aux Jeux olympiques ou dans le cas de cette femme héroïque soulevant le tracteur qui écrasait son fils).

Lorsque le système digestif se ferme, la bouche est sèche, ce qui limite la quantité de liquide dans l'estomac. (Ces liquides seront utiles ailleurs dans le corps.) Toute sécrétion ou tout mouvement de l'estomac et de l'intestin sont inhibés. Le rectum et la vessie se vident afin d'éliminer tout excédent de poids avant la bataille.

Les inconvénients d'aujourd'hui

L'orateur très stressé a la bouche tellement sèche qu'il a du mal à décoller sa langue de son palais sans recourir au verre d'eau placé à bon escient sur son lutrin. Ce phénomène est tellement fiable qu'il est utilisé comme détecteur de mensonge en Chine. On fait avaler une grosse cuillerée de riz cuit aux suspects avant l'interrogatoire. Le coupable, ayant du mal à avaler avant de parler, passe aux aveux la bouche pleine.

Les gens qui mangent sur le pouce alors qu'ils sont stressés nuisent grandement à leur santé en forçant leur estomac inactif à recevoir de la nourriture avalée rapidement. Ballonnements, nausées, inconfort, crampes et même diarrhée peuvent en résulter. Les nageurs connaissent cette réaction de l'estomac et mangent toujours légèrement avant le stress d'une compétition.

Autre aspect de la fermeture du système digestif: le délestage. Lorsque, pendant son dîner d'adieu, il se lève pour prononcer un discours, le chevalier moderne n'apprécie guère ce «retour aux sources» de son rectum.

6. L'augmentation du taux de sucre dans le sang et de celui de l'insuline nécessaire à le métaboliser

Les avantages de jadis

Source d'énergie «courte durée» immédiate. Combustible pour le sprint.

Les inconvénients d'aujourd'hui

Peut entraîner le déclenchement ou l'aggravation du diabète en imposant au pancréas une demande excessive d'insuline. La réaction à l'agent stressant est alors une consommation excessive d'aliments riches en sucre, qui aggrave la situation, puisque le stress a déjà fait augmenter le taux de sucre de votre sang. On pose souvent abusivement un diagnostic d'hypoglycémie (ce qui a donné naissance à une nouvelle génération de commerces fort lucratifs censément spécialisés en nutrition). Néanmoins, cette affection est très réel-

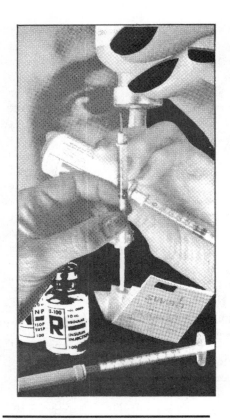

le; elle crée un besoin urgent de sucre qui, si vous ne savez pas y résister, est néfaste à votre pancréas, — c'est le moins que l'on puisse dire; quant à vos dents, n'en parlons pas. (Voir le chapitre 5.)

Consultez votre médecin si vous pensez présenter l'un des symptômes de l'hypoglycémie.

7. L'augmentation du cholestérol dans le sang provenant surtout du foie

Les avantages de jadis

Source d'énergie «longue durée», après la fermeture du système digestif. Prend la relève lorsque le sucre se concentre dans les muscles pour en décupler l'énergie.

Les inconvénients d'aujourd'hui

Lorsqu'il est chronique, un taux de cholestérol élevé se double généralement de dépôts sur les parois des vaisseaux, y compris celles des artères coronaires, dépôts qui entraînent un durcissement des artères (artériosclérose cardiaque), et parfois même un accident cardiaque mortel. La controverse portant sur les régimes faibles en cholestérol étant par elle-même une question importante, nous en discuterons au chapitre 5. Un avertissement cependant: si vous vous faites faire une prise de sang par un interne qui, fatigué et manquant de sommeil, vous plante l'aiguille dans le nombril alors qu'il visait le bras et s'y prend à plusieurs reprises avant de réussir, la peur que vous ressentirez immanquablement peut faire monter votre taux de cholestérol de 40 p. 100 en quelques secondes. (Je parle en connaissance de cause, j'ai été interne!) Les résultats de votre analyse de sang peuvent également être faussés dans un bureau de consultation ou dans un laboratoire d'analyse si vous n'avez pas observé le jeûne de quatorze heures (par exemple, si vous avez bu un café au lait avant votre rendez-vous en omettant de le signaler), ou si, au cours de la semaine précédant vos analyses, vous avez mangé des aliments très gras.

Il demeure cependant que l'évaluation du taux de cholestérol est extrêmement utile et fait partie des analyses dont votre médecin a

besoin lors d'un examen de routine. Dans les cas à haut risque, le patient doit s'y soumettre au moins une fois par an. Par cas à haut risque, j'entends les femmes qui prennent la pilule anticonceptionnelle, les patients dans la famille desquels on trouve plusieurs cas de maladies cardiaques (leurs enfants doivent également s'y soumettre à partir de neuf ans), et enfin tout patient qui vit un stress intense. (Si vous vous demandez quel est votre degré de stress, voyez les chapitres 3 et 4.)

Il est clair que, en période de stress, s'il y a une chose à ne pas ajouter à votre sang, c'est un excédent de cholestérol. C'est pourtant exactement ce qui se produit au cours d'un repas dans la plupart des chaînes de restaurants. Un Américain moyen consomme environ 45 p. 100 de ses calories sous forme de graisses, soit presque *un tiers* de plus que ce qui lui est nécessaire. (Il faut noter que l'Association américaine du coeur ne préconise pas de réduire l'ingestion de graisses à *zéro*, comme le font certains obsédés des régimes. (Voir le chapitre 5.)

Prendre un repas de temps à autre dans un de ces restaurants ne porte pas à conséquence. Cependant, si vous y preniez le même repas trois fois par jour, vous pourriez risquer de souffrir de malnutrition autant que d'obésité, entre autres problèmes.

52

8. L'accélération du rythme cardiaque

Les avantages de jadis

Apporte plus de sang aux muscles et aux poumons, pour transporter plus de combustible et plus d'oxygène sur le champ de bataille.

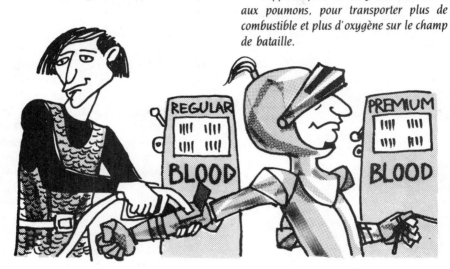

Les inconvénients d'aujourd'hui

Hypertension. Sans surveillance, cela peut entraîner une crise cardiaque, la rupture d'un anévrisme et toute une gamme de problèmes de moindre importance.

Mais on encourt également «le» problème: un arrêt cardiaque mortel, auquel sont exposés tous les plus de quinze ans. Si vos artères coronaires présentent des dépôts de cholestérol (et l'autopsie de jeunes soldats américains a montré que le cas est loin d'être rare), il est probable que votre coeur a déjà du mal à faire face à une demande normale. Une dose excessive de stress

53

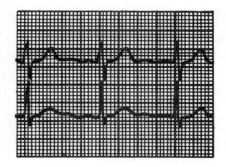

— une discussion animée, un exercice un peu trop violent ou une chaleur caniculaire — et c'est la goutte qui fait déborder le vase!

Malheureusement, comme la mort surprenante de Jim Fixx, ce jogger amateur hors pair, le montre bien, même une condition physique apparemment parfaite ne constitue en rien une garantie*. Si vous devez faire face à une dose excessive de stress, si votre mode de vie n'est pas sain, ou s'il existe des cas de maladies cardiaques parmi vos ascendants, consultez régulièrement votre médecin pour des analyses approfondies. Même des outils modernes comme les ECG de stress, les échocardiogrammes et les angiogrammes coronariens ne sont pas entièrement sans faille. Combien de vies auraient pu être sauvées par des examens de routine!

À l'heure actuelle, les pontages coronariens sont aussi anodins, quant aux risques encourus, qu'une simple ablation de la vésicule biliaire; ils ont cependant permis de sauver des milliers de patients de la catastrophe.

Il est totalement faux de croire que la première attaque cardiaque est toujours bénigne, et que, par la

* Les antécédents personnels et familiaux de Jim Fixx lui-même comportaient certains avertissements qui auraient dû être relevés lors d'un examen médical de routine, auquel il avait trop longtemps négligé de se soumettre. Tirons-en tous la leçon.

54

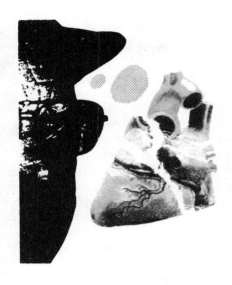

suite, les miracles de la médecine viennent à la rescousse du malade. Le premier signe de défaillance cardiaque est parfois le dernier.

En dernière analyse, une visite chez votre médecin ne saurait suffire; vous devez être fermement décidé à suivre ses conseils et à modifier certaines de vos mauvaises habitudes: usage du tabac, obésité, ou même, qui sait, être prêt à changer d'emploi si le vôtre ne vous convient pas. (Voir le chapitre 3.)

9. L'augmentation de l'apport d'oxygène

Les narines palpitent, la gorge se dilate ainsi que tous les conduits pulmonaires, la respiration devient plus profonde et plus rapide.

Les avantages de jadis

Apporte le supplément d'oxygène rendu nécessaire par l'augmentation du volume sanguin dans les poumons.

Les inconvénients d'aujourd'hui

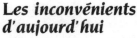

Désastreux si vous fumez ou vivez avec un fumeur. Même si, contrairement aux autres fumeurs en situation de stress, vous n'augmentez *pas* votre consommation de tabac, la réaction naturelle au stress décuple les dommages de chaque clou de cercueil que vous fumez, en facilitant la pénétration du poison dans le système respiratoire. Les choses ne font qu'empirer si, en réaction à un agent stressant, vous choisissez de fumer davantage de cigarettes.

10. Épaississement du sang

Une augmentation de la production de globules rouges et de globules blancs par la moelle épinière et la décharge par la rate d'une réserve de pâte épaisse composée de globules sanguins et de facteurs coagulants produisent un épaississement du sang.

Les avantages de jadis

Augmentation du volume de sang permettant de transporter l'oxygène, de combattre les infections, et d'arrêter les saignements dus aux blessures.

Les inconvénients d'aujourd'hui

En situation de stress, un sang devenu aussi épais que de la pâte de tomates peut causer une crise cardiaque ou une embolie. (C'est l'une des multiples raisons pour lesquelles je recommande — sauf si vous êtes épileptique et que votre épilepsie n'est pas encore équilibrée — de boire au moins huit verres d'eau par jour: votre sang sera moins épais.) Depuis longtemps déjà, certaines substances diminuant la viscosité du sang sont disponibles; des études permettent de penser que l'aspirine — dont on prendrait moins d'un cachet par jour — donnerait de bons résultats. Seul votre médecin, après vous avoir examiné et fait une analyse de sang, pourra décider d'un traitement qui vous convienne. Comme principe général, et afin d'éviter des effets secondaires dont on ne connaît pas encore toute l'ampleur, je recommande d'éviter de recourir à des médicaments pour contrer l'effet du stress.

11. La peau «se ratatine», pâlit et devient moite

Les avantages de jadis

La peau, qui constitue l'organe le plus volumineux de notre corps, fait se hérisser tous nos poils. C'est là un vestige hérité de nos «velus» ancêtres dont la silhouette devenait ainsi plus impressionnante. En outre, les poils jouent alors le même rôle que la moustache des chats dans le noir et deviennent une sorte de «radar» permettant d'évaluer les dangers immédiats.

La pâleur de la peau est due au détournement du sang vers la «machine de guerre» (les muscles, le coeur et les poumons) dans le but de réduire la perte de sang en cas de blessure.

En situation de stress, la peau devient moite, ce qui rafraîchit les muscles surchauffés qui se trouvent juste en dessous.

Les inconvénients d'aujourd'hui

Une lèpre sociale. L'image redoutée (du moins dans les messages publicitaires télévisés) des mains moites, du maquillage qui tourne et des auréoles sous les bras. De plus, la transpiration augmente la conductivité électrique de la peau, ce qui peut facilement être mesuré, et ne vous laisserait aucu-

58

ne chance face à un détecteur de mensonge (uniquement dans le cas où mentir serait stressant pour vous, bien sûr).

12. La sensibilité exacerbée

Les avantages de jadis

Le corps est à son rendement maximal. C'est la raison pour laquelle les amateurs d'émotions fortes ont l'impression d'être en pleine possession de leurs moyens lorsqu'ils se livrent à une activité stressante.

La performance mentale est elle aussi décuplée et la concentration plus intense; tous ceux qui ont connu la panique des échéances, à l'école ou au travail, peuvent en témoigner.

* Les yeux — les pupilles se dilatent, ce qui donne une meilleure vision nocturne et élargit le champ visuel, atout qui peut être vital dans une bataille.

* Les oreilles — l'ouïe devient plus fine.

* Le toucher — plus sensible grâce au hérissement des poils (voir la réaction numéro 11).

* Le goût et l'odorat sont eux aussi exacerbés.

Les inconvénients d'aujourd'hui

Aujourd'hui, l'inconvénient majeur est constitué par le taux d'erreur élevé survenant après une dose excessive de stress. Il semble que les sens soient «crevés» après un stress sévère et deviennent moins efficaces. Le sujet devient moins attentif aux détails qui l'entourent, son esprit est absent; il n'est sensible ni aux saveurs, ni aux odeurs ni aux contacts.

Cet état de vulnérabilité est une cible idéale pour les esprits satiriques: c'est précisément au moment où, dans un cocktail mondain, on joue les prétentieux que l'on se fourre par inadvertance un bâtonnet au fromage dans le nez.

Il peut être vital d'avoir conscience de l'importance de votre stress et de votre taux d'erreur. Ne sautez pas dans votre voiture immédiatement après une violente dispute à la maison, pour démarrer en trombe en faisant crisser vos pneus jusqu'au bout de la rue. Il serait tout aussi dangereux de prendre le volant pour ramener votre dernier-né à la maison, même s'il s'agit cette fois d'un stress positif. En cas de stress intense, faites-vous un devoir de n'entreprendre aucune activité présentant quelque risque: n'utilisez pas d'outils ou de machines électriques et ne grimpez sur rien de trop haut. Enfin, le stress peut parfois se porter sur les

yeux: j'ai vu, après un stress intense, des cas de cécité soudaine par décollement de la rétine.

Le seul autre inconvénient majeur de la réaction sensorielle au stress est l'aggravation de certaines affections oculaires, dont le glaucome. Un avantage, cependant, à cette réaction: les yeux trahissent toujours notre état de stress; ils constituent en effet une «fenêtre» sur la vérité. C'est d'ailleurs pourquoi, au cinéma, les truands portent toujours des lunettes fumées; c'est aussi la raison pour laquelle on perçoit un interlocuteur qui ne nous regarde pas dans les yeux comme sournois et faux.

Vos yeux vous trahissent également lorsque vous vivez un stress positif. Voir l'illustration 2,1.

Illustration 2,1

La dimension de la pupille est facile à mesurer. C'est un bon indicateur des différents agents stressants qui affectent un sujet. En présence d'un stresseur (dans ce cas-ci un stresseur positif), on remarque des différences constantes selon le sexe. La première photographie devrait provoquer la dilatation des pupilles des lectrices.

La seconde photographie entraînera une dilatation des pupilles des lecteurs.

La troisième photographie est une photographie de contrôle. Si vos pupilles se dilatent en la regardant, faites-vous soigner!

Les facteurs culturels et personnels du stress

Jusqu'à présent, nous avons vu des réactions assez générales au stress; il existe également des différences marquées selon le capital culturel et personnel ou selon le sexe du sujet (voir l'illustration 2,1). En Amérique du Nord, le stress des familles nombreuses semble se

Illustration 2,2
Cette illustration montre certaines des réactions spécifiques du corps au stress.

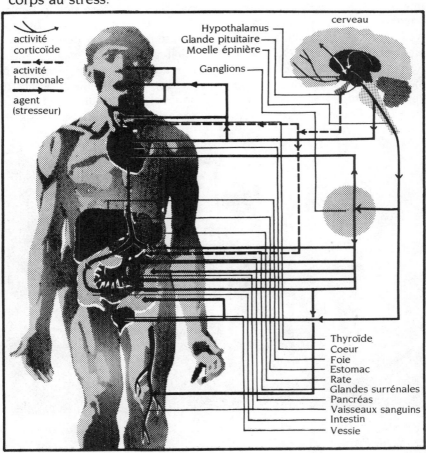

activité corticoïde

activité hormonale

agent (stresseur)

Hypothalamus
Glande pituitaire
Moelle épinière
Ganglions

cerveau

Thyroïde
Coeur
Foie
Estomac
Rate
Glandes surrénales
Pancréas
Vaisseaux sanguins
Intestin
Vessie

doubler d'un taux élevé de criminalité et de délinquance juvénile, alors qu'une surpopulation de loin plus importante à Hong-Kong et à Tokyo ne semble pas y générer un taux de criminalité inquiétant. (Peut-être parce que tout le monde là-bas pratique le karaté et le judo?)

Le jour même de la déclaration de la Première Guerre mondiale, la Bourse de Paris a été le théâtre d'une hystérie collective, chacun essayant désespérément de monnayer ses titres. Par contre, le même jour à Londres, tout était calme devant les portes de la Bourse. Les gens, sagement alignés, attendaient en lisant leur journal. Le traditionnel «flegme britannique»

avait, de toute évidence, un effet sur la réaction des citoyens d'Albion. Je ne veux pas dire par là qu'une réaction est meilleure que l'autre; je veux simplement illustrer des différences dans la culture et dans l'éducation.

Le stress s'apprivoise dès l'enfance

La réaction d'un sujet au stress peut être modifiée dès le berceau et, par la suite, pendant toute son éducation. Par exemple, plusieurs adultes que je vois et dont la réaction au stress est inappropriée ont eu des parents qui, au cours des années de formation de la personnalité de leurs enfants, vou-

Le jour de la déclaration de la Première Guerre mondiale, devant la Bourse de Paris

Le même jour, devant la Bourse de Londres

laient les «protéger» d'un stress éventuel. C'est ainsi que l'enfant «protégé» qui n'a jamais eu à regarder un serveur dans les yeux pour commander son repas à l'occasion d'une sortie familiale au restaurant n'apprendra peut-être jamais à regarder *quiconque* dans les yeux au cours d'une conversation. (L'une de mes bêtes noires est d'essayer de communiquer avec un adolescent qui frotte ses pieds par terre, les yeux rivés au sol, pendant que sa maman ou son papa, plein de bonnes intentions, intercepte chacune de mes questions. À quarante ans, ses parents lui téléphoneront encore pour le réveiller le matin, au cas où son réveil n'aurait pas sonné!) C'est également l'une des raisons pour lesquelles beaucoup de personnalités dont la réussite financière est éclatante ont souvent des en-

fants à problèmes: les parents ont connu la pauvreté avant la réussite, et pensent à tort que ce stress leur a été néfaste. Ils se disent: «Moi, j'ai connu la pauvreté, mais mes enfants (ou mon épouse) ne manqueront jamais d'argent»; leurs enfants n'apprendront jamais la valeur du travail, ce qui mine le développement de leur confiance en eux-mêmes. Surprotégé par ses parents, l'enfant, parce qu'il est démuni face au stress, en deviendra un jour ou l'autre la *victime*. Comme je le disais plus haut, il *suffit* de maîtriser son stress pour s'en faire non plus un ennemi mais un allié.

On peut apprendre aux enfants à *maîtriser* activement leur stress et à mettre au point des réactions gagnantes qui leur serviront toute leur vie. On en fait des enfants qui ont des capacités de «leader», une grande «confiance en eux-mêmes» et sont indépendants, caractéristiques qui leur permettront de sortir de la masse une fois adultes.

Il est bien évident que le stress imposé aux membres de familles royales est de loin supérieur à celui du commun des mortels. La capacité du prince Charles, par exemple, de faire face à des pressions énormes découle directement de son éducation, qui l'a formé, depuis l'enfance, à supporter les feux de la rampe. La tradition selon laquelle les nobles doivent se marier entre eux comporte donc une certaine logique. L'éducation de la princesse Diana et le stress considérable que représentent ses fiançailles puis son mariage avec un héritier royal ont démontré qu'elle est capable de soutenir avec grâce des pressions énormes.

Les deux réactions au stress

Il y a deux réactions principales à un agent stressant: la réaction *syntoxique* (évitement passif) ou la réaction *catatoxique* (fuite ou lutte). Les êtres humains ont la capacité de choisir l'une ou l'autre de ces réactions: un homme peut choisir la réaction catatoxique lorsque, dans une salle de cinéma, quelqu'un insulte sa conjointe; mais s'il découvre qu'il a affaire à un boxeur professionnel de six pieds cinq, il peut décider de changer d'attitude et choisir la réaction syntoxique, moins dangereuse: il ignore le malotru. Cependant, l'éducation, dans la mesure où elle privilégie l'une des deux réactions, peut supprimer cette capacité de choix conscient. La réaction devient alors réflexe.

Le professeur Hans Selye a étudié les réactions au stress, de quelque importance qu'il soit. L'illustration 2,3 présente les trois phases du syndrome général d'adaptation (S.G.A.).

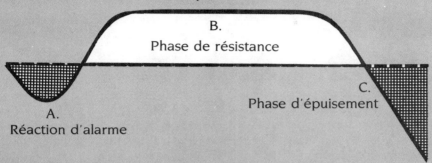

Illustration 2,3
Syndrome général d'adaptation
(Selon le professeur Hans Selye)

B.
Phase de résistance

C.
Phase d'épuisement

A.
Réaction d'alarme

À la phase A, toutes les réactions physiques au stress se déclenchent: c'est la réaction d'alarme. Si le stress se prolonge, le corps s'habitue et passe à la phase d'adaptation, ou de résistance. Mais il y a une limite à l'adaptation, après laquelle, si le stress est constant, on entre dans la phase d'épuisement.

Au cours de la Seconde Guerre mondiale, des études portant sur le moral des bombardiers alliés ont montré que la phase d'alarme recouvrait les cinq ou six premières missions en territoire ennemi. Étant donné l'intensité du stress, la phase d'adaptation ne durait que pendant les cinq missions suivantes. Après le onzième vol, les troupes entraient dans la phase finale d'épuisement, marquée par un état de choc et une résignation à la guerre, qui provoquaient chez ces hommes jeunes un vieillissement presque instantané.

On retrouve les mêmes phases, à une moindre échelle, dans vos réactions aux agents stressants auxquels vous devez faire face chaque jour.

C'est la raison pour laquelle il est si important de s'accorder des pauses au cours de la journée et d'alterner les stress (ce qui ne revient pas nécessairement à en diminuer l'intensité). Mieux vaut avoir des agents stressants de rechange (voir le chapitre 4) que de s'atteler au même sans relâche, comme ont tendance à le faire les drogués du travail. Leur degré d'efficacité réelle diminue avec leur niveau de stress constant, à un point tel qu'il leur faudra dix-huit heures pour faire ce qu'ils feraient normalement en huit.

La courbe du S.G.A. établie par le professeur Selye permet aussi d'illustrer les étapes essentielles de votre vie. La première phase correspond à l'enfance. La phase d'adaptation ou de résistance correspond à l'âge adulte, où le corps fonctionne à pleine capacité, mais s'use; enfin, la phase d'épuisement correspond à la mort. Il ne nous reste qu'une solution: apprendre à prolonger la phase d'adaptation ou de résistance!

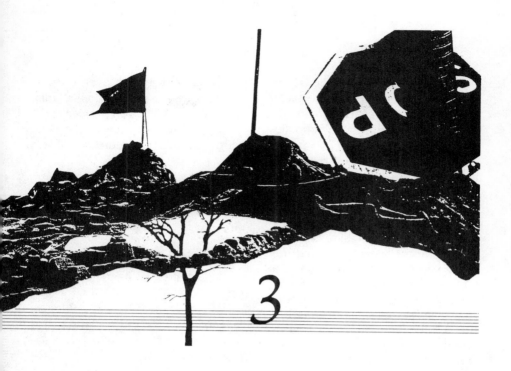

L'échelle de résistance au stress de Hanson

À *vous de choisir*

Nous avons vu les effets, positifs et négatifs, du stress *sur* votre corps; voyons maintenant la *dose* de stress que vous subissez. En effet, il serait utile d'avoir un système de sécurité qui mesurerait votre dose de stress et sonnerait l'alarme en cas de surcharge, afin d'éviter la panne.

Certains stress ayant une composante émotionnelle, il est difficile de leur allouer une valeur absolue. (Par exemple, une souris sera un agent stressant pour certains, qui pourront s'évanouir en en voyant une; d'autres ne sourcilleront même pas.)

L'échelle maintenant bien connue de Holmes-Rahe (voir l'illustration 3,1), publiée en 1967, se voulait la base d'une évaluation quantitative du stress et peut, encore aujourd'hui, servir de guide. Holmes et Rahe accordaient une valeur de 100 au décès du conjoint et de 50 à un mariage. Remarquez que, sur cette échelle, 10 des 15 agents stressants les plus importants ont trait à la vie familiale, ce qui pourra sembler curieux à certains. Mais comme on s'attend à subir du stress dans son milieu de travail, on y est mieux préparé. Par contre, la vie familiale étant perçue comme rassurante, on sous-estime la dose de stress du conjoint qui ne travaille pas en dehors du foyer, ou, si les deux conjoints sont sur le marché du travail, on escamote ses temps libres. Nous le verrons plus loin,

pour faire face aux agents stressants que vous subissez, il est indispensable que vous en preniez conscience: vous ne pouvez pas vous battre contre un ennemi invisible.

Tableau 3,1

L'échelle d'évaluation du stress de Holmes-Rahe

Ajoutez en fin de liste, sur les lignes prévues à cet effet, ceux de vos agents stressants qui ne figurent pas sur la liste de Holmes-Rahe; accordez-y autant de points que ceux accordés à un stress comparable inscrit dans la liste.

Pour votre pointage, ne tenez compte que des agents stressants subis au cours des vingt-quatre derniers mois.

Vous obtiendrez la valeur totale de votre stress en additionnant la valeur de tous les agents stressants qui s'appliquent à vous.

ÉVÉNEMENT VÉCU

ÉVÉNEMENT VÉCU	VALEUR	VOUS
Décès du conjoint	100	
Divorce	73	
Séparation	65	
Séjour en prison	63	
Décès d'un parent proche	63	
Maladie ou blessure personnelles	53	
Mariage	50	
Perte d'emploi	47	
Réconciliation avec le conjoint	45	

Retraite	45
Modification de l'état de santé d'un membre de la famille	44
Grossesse	40
Difficultés sexuelles	39
Adjonction d'un nouveau membre à la famille	39
Réaménagements dans la vie professionnelle	39
Modification de la situation financière	38
Mort d'un ami proche	37
Changement de carrière	36
Modification du nombre de discussions avec le conjoint	35
Hypothèque supérieure à un an de salaire	31
Saisie d'hypothèque ou de prêt	30
Modifications de ses responsabilités professionnelles	29
Départ d'un de ses enfants	29
Problèmes avec les beaux-parents	29
Succès personnels éclatants	28
Début ou fin d'emploi du conjoint	26
Première ou dernière année d'études	26
Modifications de ses conditions de vie	25
Révision de ses habitudes personnelles	24
Démêlés avec son patron	23
Modifications des heures et des conditions de travail	20
Changement de domicile	20
Changement d'école	20
Changement de passe-temps	19
Modification des activités religieuses	19
Modification des activités sociales	18
Hypothèque, ou prêt, inférieure à un an de salaire	17
Modification de ses habitudes de sommeil	16
Modification du nombre de réunions familiales	15

Modification de ses habitudes alimentaires	15
Vacances	13
Noël	12
Infractions mineures à la loi	11
Divers:	

Inscrivez votre total ici _____

Si vous obtenez un total supérieur à 300, la probabilité que votre santé soit altérée au cours de l'année à venir est de 80 p. 100.

Vous avez maintenant une idée objective de la dose de stress que vous subissez. Si le total de vos points est inférieur à 150, la probabilité que votre santé soit altérée au cours de l'année à venir est de 30 p. 100; entre 150 et 300, la probabilité est de 50 p. 100; plus de 300, la probabilité est de 80 p. 100.

La nature exacte de l'altération varie selon le sujet; vos points faibles en seront très probablement la cible, quel que soit votre état de santé actuel. Par exemple, certains sont sujets aux ulcères, d'autres aux crises cardiaques ou à des irrégularités de rythme cardiaque inquiétantes, à des dépressions, à des colites, à de l'asthme ou (par suite d'un affaiblissement de leur système immunitaire) à des infections ou même au cancer. En voyant régulièrement votre médecin traitant pour un bilan — au moins *tous les ans* si vous subissez une forte dose de stress —, vous pourrez identifier vos points faibles et mieux prévenir une crise.

Analysons maintenant ces chiffres sous un autre angle. N'est-il pas surprenant que la santé de 20 p. 100 des membres du groupe à stress élevé ne soit en rien modifiée. Sont-ils invulnérables? Pour répondre à cette question, j'ai mis au point une nouvelle échelle — l'échelle de résistance au stress de Hanson — selon laquelle vous attribuez une valeur aux choix que vous faites en réaction au stress, ce qui vous permet d'identifier les points pour lesquels il y a place pour l'amélioration.

L'échelle de résistance au stress de Hanson comporte 10 mauvais choix, qui vous affaibliront et 10 choix judicieux, qui vous fortifieront face au stress. Dès que vous vous rendrez compte que votre vie est en jeu, et que ces choix ne concernent pas uniquement des habitudes de vie sans importance, il vous sera plus facile de mieux gérer votre vie et, par voie de conséquence, de tolérer des doses de stress plus élevées.

Analysons maintenant le conte- nu de chacun des 10 mauvais choix figurant sur l'échelle de résistance au stress de Hanson.

Illustration 3,2
L'*échelle de résistance au stress de* Hanson

Mauvais choix	Valeur	Choix judicieux	Valeur
Mauvais capital génétique	10	Bon capital génétique	10
Insomnie	20	Sens de l'humour	20
Mauvaise alimentation	30	Alimentation saine	30
Obésité	40	Alternance des stress	40
Objectifs irréalistes	50	Objectifs réalistes	50
Poisons (dont le café)	60	Compréhension du stress	60
Usage du tabac	70	Relaxation et bon sommeil	70
Emploi insatisfaisant	80	Emploi satisfaisant	80
Insécurité financière	90	Sécurité financière	90
Foyer instable	100	Foyer stable	100
	−550		+550

L'*utilisation de l'échelle de* Hanson

Vous pouvez utiliser l'échelle de Hanson pour déterminer votre résistance au stress, que vous pouvez ensuite ajouter au stress auquel vous êtes soumis (total obtenu selon l'échelle de Holmes-Rahe).

Bien que l'on puisse *nuancer* la valeur indiquée pour chacun des agents stressants, utilisez pour l'instant la pleine valeur* indiquée dans l'échelle. (Par exemple, que vous fumiez dix ou quarante cigarettes par

* *Ces valeurs sont assignées plus ou moins arbitrairement, et visent uniquement à vous donner une idée de base.*

jour, ajoutez 70 points.) Lorsque vous aurez un total grossier, vous pourrez l'affiner par la suite en changeant quelque peu les chiffres à la hausse ou à la baisse.

Nous avons vu que plusieurs de nos réactions au stress sont identiques à celles des animaux. Cependant, nous humains, avons une légère supériorité sur le babouin: *l'intelligence*, que nous pouvons mettre à contribution pour nous démarquer de ces animaux censément «bornés». Et pourtant, l'illustration 3.2 nous montre qu'en grande majorité les humains font de mauvais choix et obtiennent un score négatif à l'échelle de Hanson; ils sont donc plus démunis que les animaux devant le stress. Que ces choix soient réfléchis ou inconscients importe peu, puisqu'ils génèrent dans tous les cas une diminution de plaisir, constituent un danger pour la santé et la longévité et, conséquence logique, diminuent rendement et profits au travail. Au contraire, en choisissant intelligemment vos réactions au stress, vous pourrez l'apprivoiser, vivre *mieux* et plus longtemps.

Pour excuser l'instinct grégaire qui pousse l'individu à faire les mauvais choix du groupe auquel il s'identifie, il est fallacieux d'évoquer le manque de possibilités. En voici un exemple probant, tiré de mon expérience personnelle. J'ai récemment visité un centre ultramoderne de contrôle du trafic aérien, doté de toutes les installations dernier cri en matière de diminution du stress: une bibliothèque, un centre sportif, un atelier de bricolage, et même une salle de projection de films violents. Les contrôleurs aériens subissent en effet un stress énorme, et travaillent généralement pendant la moitié seulement de leur quart de huit heures, le reste du temps leur servant à décompresser. Au moment de ma visite, toutes les salles de détente étaient désertes. Tous les employés se retrouvaient dans la salle de café pour discuter et fumer cigarette sur cigarette. Si vous êtes comme le reste du troupeau, votre bicyclette d'exercice et votre carte d'abonnement à un centre de santé n'ont pas servi depuis longtemps. Être en forme dépend de votre *motivation* et pas des gadgets que vous achetez.

Le mauvais choix numéro 1

Un mauvais capital génétique — moins 10 points

Bien que la santé et la longévité de vos ancêtres ne dépendent en rien de vous, quelqu'un a dit que pour vivre longtemps, il faut bien choisir ses parents. Cela semble un peu moins vrai de nos jours, c'est pourquoi les antécédents familiaux figurent au bas de l'échelle de résistance au stress de Hanson. Aussi étrange que cela puisse paraître, il est généralement vrai que nos ancêtres mouraient prématurément à cause de ce que nous qualifierions aujourd'hui d'une mauvaise gestion (qui ne leur incombait pas nécessairement) de leur stress. Bien souvent, leur vie était écourtée par la guerre, la disette ou une épidémie;

et même en cas de survie, ces stress entamaient leur «capital» d'énergie d'adaptation, ce qui, doublé d'une mauvaise gestion dans d'autres domaines (mode de vie, planification financière et environnementale, planification de la retraite), contribuait à leur disparition prématurée.

Jusqu'à tout récemment, pratiquement personne n'avait entendu parler d'exercices à pratiquer régulièrement pendant une bonne partie de sa vie. Seuls les paysans maintenaient leur bonne forme physique à travers leurs tâches quotidiennes; au cours de l'histoire, ils ont cependant souffert des disettes dues à des sécheresses ou à des invasions d'insectes, par exemple. Les soins médicaux étaient moins élaborés: on pourrait très certainement traiter aujourd'hui la grande majorité des affections dont vos ancêtres sont morts. Nos connaissances de la santé au travail sont également plus poussées: si certains membres de votre famille sont morts jeunes d'un cancer du poumon, mais qu'ils travaillaient dans un centre d'extraction de l'amiante, cela n'affectera pas nécessairement votre propre santé, dans la mesure où vous-même ne subissez pas la même exposition.

Par contre, il est évident que si tous les hommes de votre famille sont morts dans la trentaine de la même affection cardiaque, et que, pour votre part, vous estimez inutile de vous faire suivre par un médecin avant vos vingt-neuf ans, vous avez bien des chances d'hériter de leur «manque de chance». Le peu de points accordés à un mauvais capital génétique ne vise pas à minimiser le risque réel encouru par ceux qui héritent de certaines maladies, mais plutôt à mettre l'accent sur la relative rareté statistique de ce type de cas.

MAUVAIS CAPITAL GÉNÉTIQUE
Si vos parents ou vos grands-parents sont morts avant 65 ans = −10. Inscrivez votre score ci-dessous.

Le mauvais choix numéro 2

L'insomnie — moins 20 points

Bien qu'on ne choisisse pas d'être insomniaque, on peut choisir de recourir ou non à des drogues pour trouver le sommeil. Si vous dormez mal et que vous vous réveillez régulièrement aussi fatigué que la veille, il vous sera difficile de faire face au stress de la journée. Très fréquemment, les insomnies découlent du fait que l'esprit repasse pendant la nuit le stress non dissipé pendant la journée. Nous discuterons plus loin des moyens de corriger cette situation.

Il faut d'abord tenir compte de la quantité de sommeil dont, personnellement, vous avez besoin. Très souvent, des personnes âgées me demandent des calmants parce que, contrairement à la «norme» généralement acceptée de huit heures, elles ne dorment que quatre ou cinq heures par nuit. En fait, il est tout à fait normal d'avoir besoin de moins en moins de sommeil au fil des ans. Je dis donc à ces patients que la seule façon de dormir trois heures de plus par nuit serait une anesthésie générale. Ils ne souffrent pas vraiment d'insomnie.

Les stimulants comme la caféine ou l'alcool empêchent de bien dormir, tout comme un comportement de type A (voir le chapitre 8), un gros repas juste avant le coucher, un conjoint qui ronfle ou un jeune bébé qui pleure. Par contre, ceux qui se réveillent encore fatigués le matin, ayant l'impression qu'ils auraient besoin de huit heures de sommeil supplémentaires pour fonctionner efficacement, auraient avantage à utiliser une technique de relaxation (voir le chapitre 4).

INSOMNIE
Si vous choisissez de la provoquer −20. Inscrivez votre score ci-dessous.

Le mauvais choix numéro 3

La mauvaise alimentation — moins 30 points

Si vous ingérez trop ou pas assez de calories, vous *choisissez* de diminuer grandement votre résistance au stress. Les régimes à la mode négligent au moins un des six éléments nutritifs de base (les hydrates de carbone, les graisses, les protéines, les fibres, l'eau et les vitamines), et devraient donc être évités. Un excès de sel (que l'on retrouve généralement dans les collations additionnées de sel) fait monter votre tension et augmenter le volume des liquides transmis au coeur et aux reins. Une ingestion insuffisante de liquides (moins de huit verres d'eau par jour) augmente la viscosité du sang et force les reins.

Des surdosages de sels minéraux ou de vitamines peuvent également être dangereux. Je discuterai de nutrition et de régime en détail plus loin dans le livre. Si vous n'êtes pas sûr de la qualité de votre alimentation, attendez de lire le chapitre 5 avant d'inscrire votre score.

MAUVAISE ALIMENTATION
Si *vous choisissez de mal vous alimenter*
=−30. *Inscrivez votre score ci-dessous.*

Le mauvais choix numéro 4

L'obésité — moins 40 points

Il s'agit ici d'un choix lourd de conséquences. (Voir le chapitre 6.) En situation de stress, le corps a tendance à *perdre* du poids. Pour rester gros, il faut donc vraiment trop manger.

Analysons de plus près l'obésité et essayons de mieux la com-

77

prendre. L'obésité n'est pas un problème en soi, c'est le *résultat* d'un problème, dont la racine est généralement:

1. L'ennui
2. Une dose excessive de stress
3. Le style de vie et la pression exercée par les autres
4. Une mauvaise image de soi
5. Les quatre raisons ci-dessus

Les gens qui choisissent de manger en réaction à un agent stressant n'ont pas de mal à admettre qu'ils ne mangent pas parce qu'ils ont faim. D'ailleurs, comment pourraient-ils avoir faim? Leur estomac est rarement vide. C'est une situation navrante.

Le traitement de l'obésité requiert une coopération étroite entre le médecin et son patient, et un travail fouillé du médecin afin de découvrir la racine réelle du problème. Les interventions chirurgicales (qui vont de la fermeture de la bouche — en attachant les mâchoires l'une à l'autre — à une dérivation d'une partie de l'estomac, en passant par des occlusions intestinales artificielles) ne constituent pas des solutions à long terme (on n'a pas encore essayé d'implanter un seul et unique tube allant directement de la bouche au rectum). Très souvent des habitudes remontant à l'enfance — finir son assiettée, ou recevoir un bonbon comme récompense plutôt qu'un baiser — poussent à trop manger. Mais en tant qu'adultes, nous pouvons, en y étant aidés, inverser les effets de ce conditionnement.

Il suffit de 10 p. 100 de plus que votre *poids idéal* pour que votre santé et votre bien-être en souffrent. (Votre poids idéal est celui avec lequel vous vous sentez le mieux dans votre maillot de bain, et non celui qu'ont déterminé les compagnies d'assurances.) Les jockeys savent que dix livres en plus affectent la performance d'un cheval; imaginez l'effet de ces mêmes dix livres sur vos deux jambes à vous.

L'obésité est dite *morbide* ou pathologique lorsque vous pesez le double de votre poids idéal. Les statistiques sont d'ailleurs alarmantes. Lorsque je vois des patients dans la vingtaine affligés d'un excès de poids de ce type, je leur dis que, à moins de modifier leurs habitudes, ils ont statistiquement peu de chances de vivre jusqu'à cinquante ans.

Malgré la multitude d'articles traitant de nutrition auxquels nous avons accès dans les journaux ou dans les revues, nombreux sont ceux qui choisissent encore de mal s'alimenter. Les animaux sauvages ne survivraient pas s'ils étaient aussi gros que certains humains. (Outre les humains, les seuls êtres vivants pathologiquement obèses sont les animaux domestiques nourris par des humains.)

Les effets de l'obésité vont plus loin que l'aspect esthétique ou la défaillance des genoux sous le poids du corps. Le coeur se fatigue plus rapidement; d'autres organes, dont les poumons, le foie et le pancréas (surtout en cas de diabète induit), sont également affaiblis. Nous étudierons le sujet plus en profondeur, puisque le chapitre 6 y est consacré; reportez-vous également à la section «Mangez normalement» du chapitre 7.

OBÉSITÉ
Si vous choisissez d'être gros = −40. Inscrivez votre score ci-dessous.

Le mauvais choix numéro 5

Les objectifs irréalistes — moins 50 points

Une personne de petite taille qui rêve de devenir joueur de basket-ball, et une personne de grande taille qui veut devenir jockey... sont toutes deux irréalistes. À moins de modifier leurs objectifs, elles sont vouées à l'échec. L'insatisfaction continue qu'engendrent des objectifs irréalistes peut avoir un effet très négatif sur la capacité de résister au stress. En partie à cause de la télévision, les étudiants sortent de l'école pleins d'illusions quant à leur style de vie à venir, et sont souvent mal préparés à travailler de longues heures pour obtenir le salaire auquel ils s'attendent. Cet état de choses entraîne souvent une in-

satisfaction profonde, à laquelle on peut imputer certaines des frustrations des moins de vingt-cinq ans sans emploi.

Cependant, notre société semble changer. Jusqu'à tout récemment, la grande majorité des parents poussait leurs enfants vers le secteur tertiaire. Depuis quelques années, de par la sursaturation du marché du travail, un diplôme universitaire n'est plus une garantie de succès. Les étudiants s'inscrivent nombreux à des cours ou à des stages qui leur donneront une formation exploitable sur le marché du travail, adaptée à leurs aptitudes et correspondant à leurs intérêts.

79

C'est ainsi que nous pouvons aujourd'hui produire plus d'employés qualifiés à tous les niveaux. Au sens strict, des études universitaires ne sont rien d'autre qu'un exercice intellectuel de haut vol, très utile à *certains* étudiants, mais certainement pas à *tous*. Lorsque vous cherchez un emploi, le directeur du personnel qui vous fait passer l'entrevue ne sera pas nécessairement transporté d'aise en apprenant que vous avez étudié *Don Quichotte* dans le texte pendant trois ans!

Nous verrons ce que recouvrent les termes objectifs réalistes, par opposition à objectifs irréalistes, dans le chapitre 4.

OBJECTIFS IRRÉALISTES
Si vous choisissez d'en avoir = −50. *Inscrivez votre score ci-dessous.*

Le mauvais choix numéro 6

Les poisons — moins 60 points

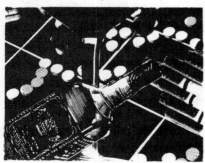

J'utilise ici un terme relativement fort pour couvrir la gamme des toxines, drogues ou caféine ingérées en doses excessives en réaction au stress. Le poison le plus répandu est l'alcool.

L'*alcool*
Consommé avec modération (une ou deux onces par jour, soit un ou deux verres de vin ou de bière), l'alcool présente relativement peu de dangers, sauf pendant une grossesse. Les résultats de certaines recherches montrent même qu'une absorption modérée d'alcool peut faire baisser votre taux de cholestérol. Par contre, l'ingestion d'une dose plus importante deviendrait rapidement toxique. À dose excessive, l'alcool provoque des troubles du sommeil et attaque les parois de l'estomac. Il peut causer la cirrhose, des maux de tête et toute une série d'autres problèmes, dont l'atrophie des testicules chez l'homme et des ovaires chez la femme, à un point tel que la libido peut devenir pratiquement inexistante. Plus dramatique encore, il peut y avoir destruction de cellules cérébrales qui ne se régénèrent plus jamais.

Parce que c'est un stimulant à retardement, l'alcool pris au coucher trouble le sommeil. Une ingestion excessive d'alcool entraîne également un *vieillissement prématuré* très marqué. Si vous pouviez voir l'extrait de naissance de certains clochards à qui on donnerait quatre-vingt-dix ans, vous seriez grandement surpris de constater qu'ils n'ont probablement qu'une trentaine d'années. À l'autopsie, tous les organes internes accusent également un vieillissement anormal. Chaque fois que je vois quelqu'un qui paraît beaucoup plus vieux que son âge, je pense en premier lieu à l'alcoolisme.

Les tranquillisants

Autre type important de poison: la famille des tranquillisants. Malheureusement, le corps médical lui-même en est la principale source d'approvisionnement. En effet, les tranquillisants, dont le Valium, sont les médicaments les plus couramment prescrits aujourd'hui, et le degré de dépendance du grand public — qui espère en tirer une diminution de son stress — est terrifiant. Face au stress, des pilules ne vous seront d'aucun secours: le traitement doit s'attaquer aux *causes* et non aux *conséquences*. (Les deux autres médicaments les plus vendus sont le Tagamet pour les ulcères de l'estomac et l'Inderal, pour la tension, l'angine de poitrine et les migraines — toutes affections directement liées au stress.)

Il faut vingt-quatre heures à l'organisme pour éliminer complètement un tranquillisant, même doux. Si l'on en prend plusieurs fois par jour, ou même une seule fois par jour au coucher «pour dormir», le sang n'en est jamais exempt. Une ingestion à long terme crée une habitude, vous rend mentalement moins alerte; il vous est alors plus difficile de vous organiser ou de résoudre vos problèmes.

Les tranquillisants peuvent avoir un rôle occasionnel à court terme dans la gestion de crises graves. Par ailleurs, l'utilité et la légitimité du rôle des tranquillisants dans le traitement de pathologies psychiatriques réelles sont une autre question qui ne saurait être traitée ici.

La *caféine*

En situation de stress, une bonne tasse de café ou de thé semble constituer pour plusieurs l'un des plus grands plaisirs de la vie. Il est sûr qu'une tasse de café ou deux tasses de thé par jour ne sont pas préjudiciables. Cependant, comme c'est le cas pour l'alcool, la consommation de café est dangereuse si elle est excessive. Ceci, à cause de

81

la *caféine*, que l'on retrouve principalement dans:

Le café	mg de caféine
Instantané — une tasse......	104
Percolateur — une tasse....	192
Espresso — une tasse	240
Le thé — une tasse	48 - 72
Les colas — un verre	27 - 54
Le chocolat chaud — une petite tasse	15

Si vous avez l'habitude de boire du café instantané, il est préférable de lui substituer un café instantané décaféiné. Si vous êtes un amateur et moulez vous-même votre café, le café instantané décaféiné (tout comme le café instantané non décaféiné) ne saurait vous satisfaire. Par contre, du café décaféiné en grains serait un substitut presque parfait, car la caféine elle-même n'a ni odeur ni saveur.

En plus de la caféine, le café et le thé contiennent d'autres produits chimiques que je ne saurais recommander puisqu'ils nous sont encore mal connus. D'un point de vue purement objectif, la valeur nutritive d'une tasse de café ou de thé est nulle; c'est simplement de l'eau chaude, colorée... et chère.

Quoi qu'il en soit, étant donné le nombre de consommateurs de caféine, il n'est pas réaliste de penser que sa disparition est pour demain. Efforcez-vous donc de trouver un café ou un thé (le thé d'herbes, par exemple) décaféiné qui satisfasse votre palais et comble votre envie d'une boisson chaude et relaxante. (Savez-vous que l'on a l'impression de mieux se relaxer en prenant une boisson chaude justement parce qu'elle est chaude: votre interlocuteur ne peut la boire d'un trait et s'en aller.) De plus, café, ou thé, et cigarette étant associés chez presque tous les fumeurs, si vous buvez de grands verres d'eau glacée, le besoin d'en griller une pendant les pauses «café» sera moins urgent, ce qui serait tout à votre avantage.

Quels sont les dommages causés par la caféine? Ils sont multiples. Deux tasses et demie de café seulement par jour (400 mg) font doubler votre taux d'adrénaline, à un moment où, en réaction au stress, votre corps essaye déjà de faire la même chose. En fin de soirée, une ingestion de caféine peut nuire à votre sommeil. Même si vous réussissez à vous endormir, votre sommeil est inefficace et, le lendemain matin, vous n'êtes pas complètement réveillé avant d'en avoir pris une tasse; c'est un cercle vicieux.

En excluant la possibilité que la caféine soit cancérigène (que je ne discuterai pas ici, puisqu'elle fait encore l'objet d'une controverse), on sait qu'un excès de caféine aggrave grandement les ulcères à l'estomac. Normalement, comme nous l'avons déjà vu, votre estomac se ferme en situation de stress. Tout aliment liquide ou solide ingéré à ce moment-là y séjournera plus long-temps qu'à l'accoutumée, endommageant plus gravement encore la paroi de votre estomac. À l'autre bout, la caféine peut également aggraver une colite; les hémorroïdes, elles aussi, sont plus douloureuses lorsque le patient ingère de la caféine. L'augmentation d'énergie que génère artificiellement la caféine impose un surcroît de travail à votre coeur, ce qui peut accélérer l'apparition d'une angine de poitrine lorsqu'un coeur déjà fatigué travaille à pleine capacité.

Et, pour faire mesure comble, la caféine (pas plus de deux petites tasses de café par jour) peut faire apparaître des kystes du sein chez la femme. J'ai remarqué que la caféine est une cause fréquente d'affections du sein. Beaucoup de femmes dont les seins sont douloureux avant ou pendant les règles, qui souffrent de seins kystiques ou «adipeux», verraient leurs douleurs s'estomper si elles cessaient de boire du café. La caféine n'est *pas* cancérigène par elle-même. Mais elle stimule des kystes bénins, et il devient donc plus difficile de détecter de nouveaux kystes qui, eux, ne le seraient pas.

Si j'en crois mes patients, il semble que cesser de boire trop de café soit l'habitude *la plus facile* à modifier. Surprenant, non?

LES POISONS

Si vous choisissez d'en abuser = −60. Inscrivez votre score ci-dessous.

Le mauvais choix numéro 7

L'usage du tabac — moins 70 points

Il constitue une réaction courante autant que désastreuse au stress; c'est également l'atteinte à la santé la plus aisément sujette à la prévention. Le simple fait de rouler une feuille de papier, de la coincer entre vos lèvres et de l'allumer dépasse l'entendement. En plus, pensez à ce que votre corps subit!

Je vois souvent des femmes enceintes qui se préoccupent de la façon dont elles nourriront l'enfant à naître, ou se demandent si elles devront faire bouillir l'eau des biberons. Très souvent ces mêmes femmes refusent stoïquement de prendre un médicament, même anodin, en cas de migraine. Toutes ces inquiétudes sont souhaitables, et, dans la plupart des cas, totalement justifiées.

Je trouve cependant toujours très surprenant que certaines de ces futures mamans inhalent sans broncher un paquet de cigarettes par jour, sans se soucier des dommages incroyables, constants et dévastateurs qu'elles imposent au foetus en plein développement. J'irais jusqu'à dire que l'usage de la cigarette pendant une grossesse constitue une forme prénatale de violence envers les enfants. Et d'ailleurs, beaucoup d'obstétriciens refusent purement et simplement de prendre en charge une patiente qui continue de fumer pendant sa grossesse.

Si l'un des parents, ou les deux, fume, ce mauvais traitement subi *in utero* se poursuit pendant toute l'enfance. Nous avons des raisons de croire que les résidus de fumée de tabac peuvent ralentir le développement tant physique que mental de l'enfant et augmenter le nombre de ses visites chez le médecin pour des bronchites, des maux de tête, des rhumes ou des affections liées à des allergies. C'est pourquoi je suis encore plus étonné de voir des parents intelligents, qui adorent leurs enfants, refuser de cesser de fumer malgré les problèmes persistants dont souffrent leurs enfants, problèmes dont le lien direct avec la cigarette a été clairement établi par les allergistes et les spécialistes de l'asthme.

En plus d'être une cause de sévices graves sur l'enfant à naître, le tabac inflige aussi des mauvais traitements à votre propre organisme. En situation de stress, alors que les poumons sont déjà dilatés et absorbent l'air au maximum de leur capacité, la fumée de cigarette inhalée peut faire un maximum de ravages. Tous les vaisseaux sanguins de votre corps, y compris les artères coronaires, se resserrant sévèrement lors de l'inhalation d'une seule cigarette, vous comprendrez aisément comment l'usage du tabac vous pousse dans les affres de la crise cardiaque.

Nous avons probablement tous déjà vu des photos ou des films très explicites montrant l'effet du tabac sur la circulation du sang vers le coeur, l'estomac, la peau et les autres organes. La documentation portant sur les effets nocifs du tabac abonde, à un point tel que toute recherche financée par les fonds publics serait un gaspillage regrettable des subventions consacrées à la recherche médicale. Nous savons tous maintenant que la fumée de cigarette tue. Cependant, la vente de cigarettes demeure relativement stable et ne semble s'infléchir, encore que légèrement, que lorsque les taxes en rendent le prix trop élevé.

Il est intéressant de noter que, si l'on exclut les adolescentes, les statistiques montrent que la majorité des Américains adultes ne fument pas, ce qui est certainement une grosse amélioration par rapport aux années passées. C'est également une indication de ce que les fumeurs se tuent eux-mêmes avant qu'une nouvelle génération ait pu éclore.

L'usage du tabac endommage gravement presque tous les organes du corps. Il est responsable de milliers de décès dus à des attaques cardiaques ou à des ulcères à l'estomac. Environ 30 p. 100 de toutes les formes de cancer sont imputables au tabac: cancer du poumon, cancer de la gorge et cancer de la vessie, pour n'en mentionner que quelques-uns. La fumée de cigarette rejetée peut, elle aussi, être fort dangereuse, particulièrement pour les patients atteints d'angine de poitrine, qui, très souvent, ressentent des douleurs thoraciques dès qu'ils pénètrent dans une pièce enfumée. Les «accidents» dus aux cigarettes sont également une cause importante de décès, de brûlures sévères et de dommages à la propriété.

Si vous fumez, vous pensez peut-être que vos poumons se portent bien. Vous pouvez vous rassurer en évoquant tel ou tel membre de la famille, qui, bien qu'il fume, a quand même atteint un âge respectable. Mais avant de faire de l'exercice (courir quelques kilomètres ou skier en haute altitude) ou de faire mesurer votre fonction pulmonaire par votre médecin, vous n'aurez probablement jamais un aperçu de l'état déplorable de vos poumons.

La détérioration deviendra évidente lorsque vous ne pourrez plus monter un escalier ni terminer une phrase sans vous arrêter pour reprendre votre souffle. Ce sont en effet les manifestations prévisibles mais irréversibles d'un emphysème au stade terminal; elles n'ont rien à voir avec l'état de vos muscles.

Le seul moyen de sauver le peu de tissu pulmonaire encore sain qu'il vous reste est de jeter vos cigarettes. Aucun supplément alimentaire, aucun exercice, aucune vitamine ni aucune potion magique ne pourront servir de contrepoison à la fumée de tabac que vous inhalez.

L'USAGE DU TABAC
Si vous choisissez d'en user = −70. Inscrivez votre score ci-dessous.

Le mauvais choix numéro 8

L'emploi insatisfaisant — moins 80 points

Êtes-vous satisfait de votre emploi? Dans la négative, vous commettez l'un des pires «délits» contre vous-même. Même si vos objectifs sont réalistes dans le domaine financier, entre autres, vous pouvez avoir choisi un emploi qui ne correspond pas à votre personnalité ou à vos aptitudes, ce qui constitue peut-être l'un de vos plus grands handicaps: en effet, si vous êtes mécontent de votre situation professionnelle, vous serez aigri, aurez une moins bonne image de vous-même, des sautes d'humeur et souvent plus de disputes à la maison. Cela est vrai si vous êtes surqualifié autant que si vous êtes sous-qualifié et mal préparé à votre emploi.

Il peut sembler très improbable que quiconque choisisse sciemment un emploi qui ne lui convient pas. En fait, cela arrive souvent. C'est ce que montre le Dr Laurence Peter, dans son livre intitulé *Le principe de Peter*: la hiérarchisation du monde du travail fait que, très couramment, l'employé est promu jusqu'à ce qu'il atteigne son niveau d'incompétence.

Ce fait a un corollaire: dans toute hiérarchie, chaque employé tend à être promu jusqu'à ce qu'il — ou elle — soit incompétent dans son poste. Comme on l'estime inapte à une autre promotion, c'est à ce poste qu'il reste. (Si ce principe est vrai, tous les postes ou presque sont occupés par des incompétents.) Cette situation réduit la résistance au stress de l'entreprise en elle-même, et met certainement en danger la capacité de résistance du sujet.

N'oubliez pas que rien ne vous oblige à être un spectateur passif, vous pouvez dire «non» à une promotion qui exige des compétences que vous n'avez pas. Si votre dernière promotion ne vous satisfait pas, vous pouvez demander de reprendre votre ancien poste ou même quitter votre emploi pour en trouver un autre plus satisfaisant.

Très souvent, les gens ne peuvent accéder à un emploi satisfaisant faute de formation adéquate. C'est pourquoi il existe des programmes de recyclage. Dans une large mesure, vous êtes vous-même l'architecte de votre destinée.

Il est primordial de bien vous *connaître vous-même* afin d'identifier le type d'emploi qui correspondrait le mieux à vos points forts et à vos points faibles. Reportez-vous à l'appendice A pour découvrir dans quel quadrant social vous vous situez, et pour trouver facilement quel type d'emploi vous conviendrait.

Le mauvais choix numéro 9

L'*insécurité financière* — *moins* 90 points

Comme l'a montré le crash de 1929, une crise financière est un raz de marée. La hantise des créanciers a des effets négatifs illustrés tant dans un revers de fortune que dans l'oppression chronique du pauvre. Mais l'insécurité financière frappe également ceux qui sont dans la bonne moyenne: ceux qui travaillent beaucoup pour avoir un bon salaire mais n'établissent pas de budget, n'ont aucune discipline, bref, ne savent pas gérer leur ar-

gent. Dépenser 5 p. 100 *de plus* ou 5 p. 100 *de moins* que ce que vous gagnez peut vous faire passer de l'insécurité à la sécurité financière.

L'argent que vous perdez parce que vous gérez mal votre budget suffirait à financer certaines mesures de diminution du stress: vacances, sorties ou aide-ménagère à temps partiel. Sans ces mesures, vous aurez tendance à aller à fond de train, ce qui, en dernière analyse, minera votre santé et votre performance professionnelle, et, par la même occasion, vos revenus.

Lorsque je vois des patients qui se plaignent de douleurs au thorax ou à l'estomac, de migraines, ou même de dépression, je pose toujours quelques questions portant sur leur situation financière. Très souvent, le reste de l'interrogatoire médical est négatif mais des problèmes pécuniaires sont à la racine du mal, auquel cas un bon conseiller financier sera d'un plus grand secours qu'un médecin.

INSÉCURITÉ FINANCIÈRE
Si *c'est votre cas* = −90. *Inscrivez votre score ci-dessous.*

Le mauvais choix numéro 10

Des relations conjugales et sociales instables — moins 100 points

C'est le score le plus élevé sur la liste des facteurs qui diminuent votre résistance au stress. Et pourtant, en situation de stress, le frénétique du travail tend à négliger sa famille et ses amis, pensant que cela ne portera pas à conséquence. En fait, rien n'est plus faux. Les conséquences très probables vont des tiraillements familiaux à la séparation, et entraînent donc une augmentation du niveau de stress. De plus, on peut s'attendre à une cohorte d'autres agents stressants que l'on retrouve dans la liste de Holmes et Rahe: augmentation des disputes avec le conjoint, départ d'un enfant, problèmes avec les beaux-parents, modification des conditions de vie, révision des habitudes personnelles, démêlés avec le patron, modifications des heures et des conditions de travail, changement de domicile, modification des activités sociales et problèmes sexuels.

En choisissant de voir votre famille et vos amis comme le cadet de vos soucis, vous amenuisez votre résistance au stress, et raccourcissez votre vie. Il est primordial de donner la place qui lui revient à l'établissement d'un réseau de base formé de votre famille et de vos amis, et même de vos animaux domestiques, si vous en éprouvez le besoin. Ils apportent un appui inappréciable. Faute de tenir compte de cette simple réalité de la vie, vous ne vivrez probablement pas assez longtemps pour récolter les fruits de votre dur labeur; de plus, si vous allez jusqu'au «burnout», la qualité de votre travail s'en ressentira.

Dans ce bas monde, rares sont ceux qui choisissent délibérément d'être des «solitaires»; ils ne vivent généralement pas vieux.

Sortez de vous-même et établissez des contacts physiques avec ceux qui vous entourent. Vous en serez rassuré, il vous sera plus facile de communiquer, et peut-être même vivrez-vous plus longtemps. Dans la plupart des sociétés, les contacts physiques (sans connotation sexuelle) sont fréquents; en Amérique du Nord, nous leur opposons encore une résistance constipée.

FOYER ET RÉSEAU SOCIAL
INSTABLE
Si vous choisissez cette situation = −100.
Inscrivez votre score ci-dessous. ☐

Quel est votre score?

Mauvais choix	Points accordés	Inscrivez votre score
1. Mauvais héritage génétique	− 10	
2. Insomnie	− 20	
3. Mauvaise alimentation	− 30	
4. Obésité	− 40	
5. Objectifs irréalistes	− 50	
6. Usage de poisons (dont la caféine)	− 60	
7. Usage du tabac	− 70	
8. Emploi	− 80	
9. Insécurité financière	− 90	
10. Foyer instable	−100	
Total, si vous faites tous les mauvais choix =	−550	
	Votre score	

Bon! Maintenant, vous avez un score négatif. Pour vous donner un point de référence, n'oubliez pas que le meilleur score est *zéro*. Si le vôtre est inférieur à −10, vous pouvez l'améliorer. Nous allons maintenant commencer à évaluer vos réactions positives au stress — en calculant le score relatif à vos points «forts» sur l'échelle de Hanson. Continuez votre lecture...

Les avantages du contact physique

Dans une expérience récente, on demandait à une jeune élève de lire un poème devant un groupe de camarades réunis chez elle. Pendant la lecture, on enregistrait sa pression et son pouls. Comme on pouvait s'y attendre, à cause du «trac», ces deux paramètres ont subi une augmentation rapide et constante pendant toute la lecture. Cependant, lorsque le chat de la fillette sauta sur ses genoux, elle se mit à le caresser tout en continuant de lire. Sa pression sanguine et son

pouls sont alors revenus à la normale. Des expériences similaires menées auprès d'adultes et de personnes âgées ont confirmé l'universalité de ce phénomène: les animaux domestiques contrecarrent les effets du stress.

4

L'échelle de Hanson

Dix choix à faire pour être équilibré

Après avoir vu 10 mauvais choix en réaction au stress, voyons maintenant 10 choix judicieux.

Ces 10 réactions constituent la base de votre défense contre le stress, exactement comme le judo face à la puissance d'un attaquant fonçant sur vous.

Dans une très large mesure, les étapes que nous allons aborder ici — si elles ne vous sont pas familières — exigent que vous fassiez des choix conscients. Par la suite, elles deviendront rapidement une partie intégrante de vos réflexes conditionnés, au même titre que les mauvais choix (souvent inconscients) comme d'allumer une cigarette. Pour la plupart, les réactions au stress que je vais recommander sont agréables; aucune ne requiert un renoncement monacal.

Le résultat escompté est de donner à votre vie quelques bonnes années de plus, et de donner plus de vie à vos bonnes années. Si vous passez maître en la matière, vous pourrez survivre à la tension et connaître les vrais plaisirs du stress.

Le choix judicieux numéro 1

Un *bon* héritage génétique — plus 10 points

Bien que vous n'ayez aucun choix à faire en la matière, j'inclus

l'héritage génétique dans l'échelle de résistance au stress à cause de son indéniable influence sur la question. Tout comme nous avons vu qu'un mauvais héritage génétique n'entraîne pas automatiquement une mort prématurée, il serait inapproprié de fonder de faux espoirs sur de bons antécédents génétiques, s'ils ne se doublent pas d'autres aspects positifs. Par exemple, même si vos ancêtres étaient des paysans, morts dans leur ferme à plus de quatre-vingt-dix ans, mais que vous êtes un citadin toujours pressé, il n'y a aucune garantie que le sort de vos ancêtres se répercute sur vous. Par contre, si vous mettez en application les aspects positifs de leur style de vie et faites des choix judicieux en réaction à vos nouveaux agents stressants, alors leur longévité pourrait certainement devenir un point positif pour vous personnellement.

Quoi qu'il en soit, au lieu de s'attarder sur vos ancêtres, essayez plutôt de planifier une relation longue et étroite avec vos descendants. Votre objectif devrait être de vivre au moins assez longtemps pour que vous puissiez voir la carte d'âge d'or de vos enfants!

BON HÉRITAGE GÉNÉTIQUE
Si vos ancêtres ont vécu jusqu'à un âge avancé = + 10. Inscrivez votre score ci-dessous.

Le choix judicieux numéro 2

Le sens de l'humour — plus 20 points

Certaines recherches tendent à prouver que le rire fait augmenter le taux d'endorphine dans le corps, ce qui rend moins sensible à la douleur et semble améliorer la résistance aux maladies.

Norman Cousins est devenu célèbre parce qu'il pouvait rire à l'annonce d'un diagnostic dramatique. Il s'était monté une collection de livres, films et autres documents humoristiques, puis s'est littéralement guéri par le rire. Le sens de l'humour a certainement cette capacité de ranimer le désir de vivre, qui, s'il est absent, rend le recouvrement de la santé beaucoup plus improbable. L'une des raisons pour lesquelles, à la fin d'un spectacle comique, les spectateurs se sentent si bien, c'est qu'ils ont oublié leurs problèmes, et même tiré certains bénéfices médicaux réels de défense contre le stress.

Les comiques n'ont donc pas de prix! La vertu du rire consiste en partie à nous faire voir nos problèmes sous une perspective nouvelle. En riant, nous réalisons souvent que d'autres ont les mêmes problèmes que nous; nous ne sommes plus seuls. Pour faire rire, il est très courant d'utiliser la technique par laquelle le spectateur se sent supérieur... au comédien, à ses beaux-parents, ou à une minorité. Cependant, il faut que vous puissiez rire de *vous-même* pour tirer le maximum de bénéfice du rire. (Si vous n'en êtes pas capable, vous trouverez des tas de volontaires qui s'en chargeront.)

SENS DE L'HUMOUR
Si vous l'avez = + *20 points.*
Inscrivez votre score ci-dessous.

Le choix judicieux numéro 3

Une alimentation saine — plus 30 points

Le meilleur régime anti-stress est:

1. Naturel (contenant le moins d'additifs possible)
2. Juste assez riche en *calories* pour maintenir votre poids idéal
3. Ingéré à vitesse raisonnable
4. Équilibré (voir le chapitre 5)

• 50 p. 100 d'hydrates de carbone, dont moins de 10 p. 100 sont des sucres simples, le reste étant des hydrates de carbone complexes comme les pâtes alimentaires, le riz, le pain à grains entiers, et les céréales.

• 30 à 35 p. 100 de graisses polyinsaturées et saturées: huile à salade, oeufs, beurre, margarine et fromage.

• 15 à 20 p. 100 de protéines (selon l'âge): produits laitiers, viandes et légumes.

Traditionnellement, on pensait qu'un repas riche en protéines était préférable en période de stress: avant un match, les boxeurs avalaient un gros steak. Cependant, des expériences ont montré que, si vous réduisez au minimum les protéines de votre repas, votre énergie et votre endurance réelles sont le double au moins de ce que vous apporterait un repas uniquement constitué de protéines.

• 50 grammes de fibres: légumineuses, céréales de son, biscuits riches en fibres, pain.

• Des vitamines et des sels minéraux en quantité suffisante, que vous trouverez soit dans vos aliments naturels, soit, de façon plus réaliste, dans un supplément multivitaminique quotidien. (Voir l'appendice.)

• Huit verres d'eau par jour. Si vous n'aimez pas le goût de l'eau du robinet, essayez de l'eau en bouteille (Voir page 134.)

Voyons donc le régime équilibré standard d'un sujet moyen qu'attend une journée de travail stressante. Au lieu de choisir un petit déjeuner lourd, riche en graisses et en sucre, notre sujet choisira un petit déjeuner *équilibré*, constitué d'environ 50 p. 100 d'hydrates de carbone (par exemple des rôties et des céréales riches en fibres). Le reste de son déjeuner sera constitué à parts égales de protéines et de graisses (du lait et des oeufs par exemple).

Avant un stress demandant de l'endurance, comme un marathon, il est courant d'augmenter les réserves de glycogène du corps en ingérant des hydrates de carbone pendant quelques jours; mais, de façon pratique, l'approche équilibrée est à recommander pour une dose normale de stress.

Le même principe s'applique à tout repas. Je pense en particulier aux dîners «gratuits», dangereusement tentants parce qu'ils passent sur votre note de frais. Généralement trop riches en calories — souvent en alcool — et trop pauvres en fibres et en hydrates de carbone pour être équilibrés, ces repas vous restent sur l'estomac.

Le cadre supérieur non vigilant revient au bureau plus prêt à faire la sieste qu'à agir. Si le dîner s'intègre à une journée de travail particulièrement stressante, l'estomac, comme nous l'avons déjà vu, s'est refermé complètement. Il serait donc souhaitable d'ingérer plus de calories au petit déjeuner et au souper, et d'éviter un gros repas à midi.

Vous pouvez diviser le nombre total des calories à ingérer en une journée comme vous le voulez, en incluant des collations. Je recommande seulement, pour éviter les troubles du sommeil et les problèmes gastro-intestinaux, de ne pas prendre un gros repas trois heures avant le coucher.

ALIMENTATION SAINE
Si la vôtre l'est = +30. Inscrivez votre score ci-dessous.

Mangez lentement: un repas n'est pas une course

Nous avons déjà vu qu'au cours d'une journée stressante votre estomac est probablement fermé. C'est pourquoi votre repas, peu mâché ou englouti rapidement, y demeurera pendant plusieurs heures comme dans une boîte à lunch fermée.

Nous savons tous que les règles du savoir-vivre recommandent de manger lentement, mais beaucoup d'entre nous estiment infantile de devoir mâcher leurs aliments au moins dix fois avant de les avaler. Pour qu'ils mangent plus lentement, il leur faudrait des conseils d'*adultes*. C'est donc après des milliers d'interrogatoires de patients que j'ai dressé la liste suivante:

- Asseyez-vous pour manger.
- Efforcez-vous de mâcher votre nourriture avant de l'avaler.
- Attendez que le serveur ait fini de placer votre assiettée devant vous avant de commencer à manger.
- Ne saisissez pas vos couverts comme si votre vie en dépendait; personne ne vous les enlèvera.
- Coupez vos aliments en plus de deux morceaux.
- N'oubliez pas d'enlever le papier d'aluminium avant de manger votre pomme de terre au four.
- Prenez le temps de respirer entre chaque bouchée.
- Entamez une conversation, même avec vous-même: celui

qui parle le plus finit généralement de manger le dernier.

- Ne mangez jamais sur de la musique de break dance.
- Soyez obséquieux, essayez de formuler de pompeux compliments que vous ferez à votre hôtesse entre chaque bouchée.

Le choix judicieux numéro 4

Le stress de rechange — plus 40 points

Si vous avez à supporter de fortes doses de stress chaque jour, vous allonger en fixant le plafond ou la télévision toute la soirée ne suffira pas à vous détendre. Pendant ce temps-là, votre esprit continue à ressasser les problèmes de la journée, ce qui alimente votre stress. En 1960, une recherche portant sur l'absence de stimulation sensorielle a montré que, malgré les vingt dollars qu'on leur donnait par jour, les étudiants participant volontairement à cette expérience étaient incapables de rester couchés plus de deux ou trois jours sans entreprendre aucune activité. Passer de *trop* à *trop peu* de stress n'est pas une solution.

La meilleure façon de vous détendre, et c'est prouvé, est de passer à une autre activité, elle aussi stressante. Ce stress de rechange doit requérir une concentration totale, mais faire appel à des circuits physiques et intellectuels *différents*. C'est pourquoi des activités de toute évidence stressantes, comme les tours de montagnes russes, l'escalade, les courses de hors-bord, la parachutisme, les sports de raquette et le surf constituent tous une excellente façon de réduire votre dose habituelle de stress. Une activité

de cette nature vous force à oublier complètement vos agents stressants habituels. Au niveau *intellectuel*, une activité sédentaire — écouter de la musique, lire ou faire de l'artisanat — peut constituer un stress de rechange; mais assurez-vous de réserver au moins trois heures par semaine à un stress de rechange *physique*. (C'est pourquoi les joueurs d'échecs ajoutent à leur préparation en vue d'un tournoi une série d'exercices physiques assez élaborés.)

Il est essentiel de choisir une activité qui vous amène à faire un exercice *différent* de celui que vous faites habituellement. Un lanceur de base-ball professionnel ne réduirait pas son niveau de stress en jouant au base-ball pendant son jour de repos. Le bénéfice essentiel vient de ce que l'on fait appel à des circuits *différents*. Les professionnels du tennis, par exemple, abaisseront leur niveau de stress en choisissant un travail de bureau comme la gestion financière ou le boursicotage. Par contre, un expert financier aurait avantage à participer à un tournoi de tennis pour rompre sa routine.

Il est important de considérer un autre aspect de la question, lié cette fois à la longévité: si vous n'avez aucun centre d'intérêt en dehors de votre travail, votre vie risque d'être complètement vide lorsque vous prendrez votre retraite. Comme nous l'avons vu dans l'introduction, ce manque de stress peut être fatal. Plus encore, en l'absence de stimulation, la sénilité peut frapper à tout âge. Être ennuyeux et sans éclat n'est pas l'apanage des personnes âgées; ceux qui ont déjà assisté à un cocktail ne me démentiront certainement pas.

Faire de l'exercice est extrêmement important. Si votre travail ne vous permet pas d'en faire autant qu'un skieur professionnel ou qu'un bûcheron (avant l'avènement de la tronçonneuse), votre stress de rechange doit y suppléer. Votre corps est un instrument accordé avec une extrême précision, mais vos muscles perdront leur tonicité, leur forme et leur fonction si vous négligez de les exercer. Il a été prouvé que la fonction cardiaque des personnes de soixante-dix ans qui ont fait de l'exercice toute leur vie est bien meilleure que celle des jeunes de vingt ans qui ne font aucun exercice. Même en ne vous préoccupant de votre forme physique qu'après votre retraite, vous augmentez vos chances de survie, puisque vous pouvez retrouver une fonction cardiaque comparable à celle d'un quadragénaire sédentaire; incontestablement, il serait préférable d'être en forme toute sa vie.

Notre forme physique devrait nous préoccuper avant même l'âge adulte. En Amérique du Nord, elle tend à dégénérer dès l'âge de six ans, au moment où les enfants s'engagent dans des activités scolaires «organisées». D'une part, aucune activité physique régulière n'est habituellement prévue à l'école; d'autre part, en dehors de l'école, ils préfèrent des activités plus sédentaires comme regarder la télévision ou jouer à des jeux électroniques. Il convient de se rappeler qu'une bonne forme physique est une habitude de vie que l'on devrait acquérir dès l'enfance. Si vous n'avez fait aucun exercice au cours de votre vie d'adulte, il est primordial de subir un examen médical complet avant d'entreprendre un programme d'exercice. Tenez également compte des suggestions de votre médecin quant à votre alimentation, à l'usage du tabac, à l'intensité des exercices et à votre style de vie en général.

Les programmes d'exercices progressifs proposés par des centres de santé *réputés* présentent des avantages certains. On vous y apprend à mesurer votre pouls et à doser vos exercices de façon à ne pas en faire trop. Cependant, méfiez-vous d'un certain nombre de centres dont les propriétaires peu scrupuleux emploient des moniteurs non spécialisés et proposent des cartes de membres à vie à des prix défiant toute concurrence. Votre médecin devrait pouvoir vous suggérer un centre de santé valable proche de chez vous.

Il peut être très dangereux de faire de l'exercice sans prendre conseil auprès d'un professionnel; ne décidez pas de votre propre chef de courir de façon sporadique, alors que vous n'êtes pas assez en forme pour le supporter. Les sports qui font appel au côté agressif de notre nature, comme ceux qui impliquent une compétition individuelle, le racquetball, le tennis et le squash, peuvent présenter un danger pour un «sportif du dimanche» qui, par peur de perdre, s'accroche jusqu'à l'épuisement. Ce genre d'attitude a déjà trop souvent causé des attaques cardiaques en plein court, tout particulièrement chez les sujets du type A. (Voir le chapitre 8.)

Si vous faites de l'exercice par vous-même et que vous n'êtes pas en bonne condition physique, demandez à votre médecin de vous montrer comment prendre votre pouls. Assurez-vous que votre pouls ne dépasse jamais 180, moins votre âge, jusqu'à ce que votre condition physique soit meilleure. Je vous suggère de prendre votre pouls au cou et au poignet pendant six secondes; ajoutez ensuite un zéro au chiffre que vous obtenez. Il est plus facile de perdre le compte si vous le prenez pendant une minute entière.

Il est aussi extrêmement important de faire des exercices d'étirement chaque jour; aucune séance d'exercice ne devrait d'ailleurs commencer sans étirement, faute de quoi, le lendemain matin, vous

vous sentirez comme un vieillard décrépit parce que tous vos muscles seront endoloris; de plus, si vous faites des exercices soutenus sans faire d'exercices de réchauffement et de refroidissement, vous vous exposez à des blessures. Commencez dès aujourd'hui. Si vous remettez vos exercices d'un jour à l'autre jusqu'au jour de votre retraite, il y a de grandes chances pour qu'ils soient beaucoup moins efficaces parce que vos tendons se modifient avec l'âge.

Pour les enfants, je recommande des sports qu'ils pourront pratiquer toute leur vie, comme le ski, les sports aquatiques, le jogging et l'aérobic. Les sports de contact en équipe conviennent aux enfants, mais entraînent souvent des blessures qui peuvent les handicaper, là encore, toute leur vie. De plus, ces sports sont souvent difficiles à pratiquer une fois que leurs adeptes se trouvent sur le marché du travail. À quelques heures d'avis, il est plus facile à un adulte de trouver un partenaire de tennis que de réunir toute une équipe de football.

STRESS DE RECHANGE
Si vous en avez un = +40.
Inscrivez votre score ci-dessous.

Le choix judicieux numéro 5

Des objectifs réalistes — plus 50 points

Nous avons vu qu'en ayant des objectifs irréalistes vous éprouverez, selon votre propre système d'évaluation, un sentiment d'échec constant. Il est donc important d'établir des objectifs clairs qui soient réalistes pour vous. Il vous sera ainsi plus facile d'être heureux. Sans entrer trop dans le détail, disons simplement que l'établissement d'objectifs valables demande, à tout le moins, de bien vous connaître vous-même. Reportez-vous à l'appendice A pour savoir dans quel quadrant social vous vous situez. Si vous aimez les applaudissements et le contact avec les gens, travailler sur une machine au fin fond d'un atelier pour le reste de vos jours ne vous rendra certainement pas heureux. De la même façon, si vous êtes plus analytique et ne trouvez aucun plaisir à travailler avec les gens, il vous incombe de chercher une carrière qui corresponde à vos goûts.

Il est également important pour votre bonheur de vous fixer des objectifs réalistes sur le plan financier. Lorsque vous établissez quels biens vous aimeriez posséder, il est généralement à conseiller de *sous-estimer* et non de *surestimer* vos gains potentiels. Il vous faut également décider du temps que vous voulez investir à travailler, et de celui que vous voulez consacrer à votre vie personnelle, avec votre famille et vos amis. Il est possible de travailler vingt-quatre heures sur vingt-quatre et de gagner assez d'argent pour cesser de travailler après dix ans de ce régime, mais il est difficile de le faire sans mettre en danger famille et amis (et ne parlons pas de pension alimentaire). Il faut donc établir un *horaire* qui soit réaliste, et identifier les *objectifs* que vous souhaitez atteindre. Évaluez où vous voudriez être d'ici un, trois ou cinq ans. Si vous êtes réaliste, vos chances de résister au stress sont de loin meilleures.

OBJECTIFS RÉALISTES
S'ils le sont = +50. Inscrivez votre score ci-dessous.

Le choix judicieux numéro 6

Une bonne compréhension du stress et de ses effets — plus 60 points

Une prise de conscience

Lorsque vous aurez terminé la lecture de ce livre, vous aurez l'avantage d'avoir appris à maîtriser le stress, c'est-à-dire à comprendre votre corps, à identifier les agents stressants auxquels vous faites face, et à prendre des moyens judicieux pour maîtriser votre stress. Fort de cela, vous disposez de l'une des meilleures armes de défense possible. Sans cela, il se peut que vous vous retrouviez au cimetière avant votre heure, accidentellement. Bien sûr, rien ne sert d'avoir ces connaissances si l'on ne s'en sert pas. C'est pourquoi il est utile que des amis ou des membres de notre famille connaissent, eux aussi, les principes de maîtrise du stress, et nous aident à nous remettre sur le droit chemin si nous nous en écartons.

Dans les années trente, on voyait comme inoffensive cette habitude mortellement dangereuse qu'est l'usage du tabac. La cigarette était un simple accessoire de cinéma qui donnait une contenance et frappait de nombreuses victimes sans méfiance. Aujourd'hui, au contraire, nous avons acquis des *connaissances* qui nous permettent d'éviter les dommages à la santé et la mort prématurée qu'engendre cette habitude. De la même façon, comme vous avez pu le constater en lisant cet ouvrage, nous avons aujourd'hui identifié tout aussi clairement nombre d'ennemis. Plus vous comprenez les dangers qui vous menacent, mieux vous pouvez les éviter.

COMPRÉHENSION DU STRESS
Si vous le connaissez = +60.
Inscrivez votre score ci-dessous.

Le choix judicieux numéro 7

La relaxation et le sommeil — plus 70 points

Êtes-vous capable de vous relaxer en situation de stress? Dans la négative, apprenez à faire une *«sieste éclair»*.

Si votre emploi vous demande de lire beaucoup, il est logique d'apprendre la lecture rapide. De la même façon, si votre vie vous expose à beaucoup de stress, il vous serait extrêmement utile de pouvoir faire une «sieste éclair» de quelques minutes seulement, lorsque vous êtes tendu. La plupart des gens peuvent se relaxer pendant leurs deux semaines de vacances; d'autres peuvent se relaxer totalement pendant une fin de semaine; d'autres encore le peuvent pendant la soirée, après leur travail. Mais combien, même au cours de la journée la plus stressante qui soit, peuvent compter jusqu'à dix, se relaxer complètement sur demande, en quelques instants, et se réveiller ragaillardis? C'est ce que j'appelle une *«sieste éclair»*. Voici comment vous y prendre.

Il ne s'agit pas de s'endormir profondément en plein milieu de votre journée, mais simplement d'apprendre à ralentir votre pouls et votre respiration, et à renverser nombre de réactions au stress, physiques et naturelles. Selon les images ou les déclencheurs qui vous conviennent, vous pouvez, par exemple, compter jusqu'à dix et vous transporter sur une belle plage où vous caressez le sable chaud pendant quelques secondes. Puis, le temps de compter de dix à zéro, et vous êtes parfaitement frais et dispos. D'autres y arrivent en fermant les yeux pendant quelques secondes et en imaginant un gros cadran dont la manette indiquerait le *maximum* lorsqu'ils sont tendus. Dans leur esprit, ils se voient simplement baisser la manette du cadran. Ils reprennent le contrôle d'eux-mêmes et commandent à leur pouls et à leur tension de baisser.

Certains d'entre vous ont déjà acquis certaines techniques de relaxation, à travers des activités diverses (et excellentes) comme la prière, le yoga, les arts martiaux, la méditation, l'exercice, la musique ou le bricolage. Mais si votre stress actuel échappe même à ces méthodes, voici un autre atout qu'il serait bon d'avoir en mains: la *sieste éclair*.

Votre hypnothérapeute pourra parfaitement vous en apprendre tous les secrets en quelques séances, après quoi il vous sera possible de faire une *sieste éclair* sur commande. Vous couperez la journée la plus stressante par ces quelques moments de relaxation complète de votre corps (à tel point que vous ne pourrez pas vous empêcher d'avoir la mâchoire qui tombe), et de votre esprit (échapper à tous les agents stressants qui vous entourent). Avec de l'entraînement et une bonne supervision, vous pourrez recharger vos batteries en quelques minutes, et éviter l'épuisement provoqué par l'utilisation constante des mêmes circuits physiques et intellectuels. Cette technique vous permettra également de vous endormir facilement.

Sommeil efficace

Comme nous l'avons vu plus haut, il est essentiel d'avoir un sommeil efficace. Je ne veux pas dire par là qu'il vous faut absolument huit heures de sommeil par nuit, mais plutôt que votre nuit de sommeil doit suffire pour que, le lendemain, vous puissiez avoir un rendement satisfaisant. Idéalement, vos heures de sommeil devraient être consécutives, mais beaucoup peuvent se contenter de courtes «siestes éclair» au cours de la journée. Quelles qu'en soient la durée et la fréquence, il est essentiel d'avoir un sommeil efficace pour améliorer votre résistance au stress. Si vous êtes l'un de ces chanceux à qui quelque quatre ou cinq heures de sommeil par nuit suffisent, prenez ces heures supplémentaires ajoutées à votre vie comme un cadeau, et faites-en bon usage. Ne les gaspillez pas à tourner dans votre lit en faisant semblant de dormir.

RELAXATION ET SOMMEIL
S'ils sont bons = +70. Inscrivez votre score ci-dessous.

Comment faire une «sieste éclair»

Bien des gens ont une peur non justifiée de l'hypnose; ils craignent de perdre tout contrôle sur leur esprit, un peu comme s'ils s'étaient drogués.

En fait, l'hypnose est non seulement inoffensive, mais elle peut vous aider à *maîtriser* votre esprit; son utilisation est très bénéfique dans des situations de stress.

Voici un exemple typique des paroles qu'un professionnel utilisera pour vous guider vers l'état d'hypnose:
Détendez-vous et installez-vous confortablement. Fermez les yeux...
En écoutant ma voix, laissez-vous porter par le sentiment de détente et de confort qui envahit votre corps peu à peu...
Je vais compter de un à dix...
et pendant ce temps...
imaginez que vous êtes dans un ascenseur qui vous amène dans un jardin secret où règnent la paix et la
tranquillité...
un...
maintenant...
votre crâne est détendu...
votre visage...
votre cou...
deux...
laissez-vous aller...
détendez-vous...
laissez-vous aller à la tranquillité...
trois...
vos bras et vos mains sont détendus...
vous respirez calmement...
chaque respiration vous apporte une détente plus profonde...
plus près de votre jardin secret...
loin du stress et de la tension...
cinq...
l'ascenseur descend...
défaites tous les noeuds de votre estomac...
laissez-vous aller...
calmement...
confortablement...
six...
laissez-vous aller encore plus...

oubliez tous vos soucis...
relaxez vos muscles fessiers et vos
cuisses...
laissez-vous aller...
sept...
vos jambes et vos pieds sont mainte-
nant détendus...
toutes les extrémités de votre corps...
jusqu'au bout de vos orteils...
huit...
laissez-vous aller encore...
vers votre jardin secret...
vous êtes totalement calme...
de plus en plus profondément déten-
du...
neuf...
vous y êtes presque...
laissez-vous aller...
dix...
les portes de l'ascenseur s'ouvrent
maintenant...
entrez dans votre jardin secret, où
vous êtes calme et libre de tout

stress...
savourez cette impression...
laissez-vous envahir complètement...
laissez-vous aller à ces sentiments
pendant quelques minutes...
et lorsque vous serez prêt...
reprenez l'ascenseur...
et ramenez ce calme avec vous...
ramenez-le jusqu'à votre vie d'éveil de
chaque jour...
frais et dispos... *

Il serait plus efficace de vous faire lire ces lignes par un ami ou de vous préparer un enregistrement. Il faut lire lentement et d'une voix calme, en marquant des pauses de plusieurs secondes entre toutes les phrases.

Je ne livre ici qu'un exemple qui ne saurait remplacer une consultation avec un professionnel.

---

* Texte obtenu grâce à l'aimable collaboration du Dr Steven Crainford, Hypnotherapy Associates, Toronto, Canada.

Quelques trucs pour s'endormir

1. Essayez de vous coucher tous les soirs à la même heure, de préférence une demi-heure avant l'heure où vous prévoyez de vous endormir.
2. Ne vous servez jamais de votre lit comme d'un bureau. Si vous avez des comptes à faire, installez-vous comme il se doit. Vous forcer à rester éveillé dans votre lit ne fait que renforcer vos mauvaises habitudes de sommeil.
3. Buvez quelque chose de chaud (pas de boisson alcoolisée ou contenant de la caféine)

juste avant de vous coucher — un lait chaud est excellent. Prenez un bon bain chaud.

4. Laissez vos problèmes de travail au bureau, et vos problèmes domestiques à la porte de votre chambre à coucher.

5. Offrez-vous un bon matelas. (Essayez plusieurs modèles, y compris les lits d'eau, avant de fixer votre choix.) Tous les lits sont plus confortables si on glisse une peau de mouton véritable sous le drap de dessous. Un oreiller confortable, en duvet par exemple, ou un édredon peuvent également être utiles.

6. Votre chambre à coucher doit être reposante, c'est-à-dire qu'il ne doit pas y avoir de bruits et que la décoration ne doit pas être agressive.

7. Utilisez la technique de la «sieste éclair» pour ralentir votre pouls et vos respirations, et vous permettre de trouver le sommeil. (Voir page 105.)

8. Maîtrisez le stress. Plus vous tendez vers une gestion parfaite de votre corps et de votre stress, plus vous dormirez facilement. Voir le chapitre 9 pour savoir comment y arriver.

ATTENTION: L'*autohypnose* peut présenter des dangers.

Il y a quelque temps, j'étais dans l'avion d'Air France qui m'amenait à Monte Carlo où je devais donner une conférence. Les passagers de ce vol étaient en grande majorité des hommes d'affaires nord-américains, dont la plupart devaient assister à ma conférence. J'étais coincé entre une Française, veuve, et ma femme, enceinte de huit mois. Alternativement, j'ai réconforté ma femme et la veuve pendant les trois premières heures de vol. Finalement, deux heures avant l'arrivée à Paris, elles s'endormirent toutes les deux; j'étais donc pratiquement le seul à avoir les yeux grands ouverts dans la pénombre de l'avion.

Cependant, je m'étais préparé en prévision de ce voyage. Une semaine avant le départ, j'avais demandé à un de mes collègues de m'hypnotiser et j'avais enregistré la séance. (Chaque fois que j'avais utilisé l'enregistrement pour m'endormir, ma femme m'avait fait remarquer deux détails: je ronflais et j'avais des soubresauts dans les membres...)

Je déposai mon verre d'eau glacée dans le réceptacle prévu à cet effet sur la tablette, puis, avec un sourire entendu, sortis mon arme secrète: la cassette et des écouteurs. Je m'installai, et tombai rapidement dans un profond sommeil.

Malheureusement, dix minutes plus tard, je me réveillai en sursaut, inondé d'eau froide. Dans mon sommeil, mon genou droit, pris de soubresauts, avait heurté la tablette et renversé mon verre d'eau glacée, dont une grande partie se retrouva sur les genoux de ma voisine française. Elle se leva d'un bond en hurlant: «Quelle douche*!»

J'essayai de réparer mon erreur en balayant de la main l'eau répandue sur sa robe tout en l'inondant d'excuses. Dès qu'elle fut calmée, je pris le premier journal qui me tomba sous la main et m'éclipsai vers les toilettes, cachant de mon mieux les taches d'eau maculant mon costume gris clair à des endroits stratégiques. Je changeai le journal de côté afin de me protéger du regard des quelques passagers réveillés.

Il y avait une petite file d'attente pour les deux toilettes de notre section. J'attendis mon tour dans l'ombre, puis m'engouffrai dans la cabine avec un soupir de soulagement. Malheureusement, je n'eus pas grand succès: les serviettes de papier ne semblaient pas suffire à sécher mon pantalon. Le stress faisant son oeuvre, j'enlevai mon pantalon, et, juché sur le siège de la toilette, le plaçai sous le maigre filet d'air chaud de la ventilation.

Au moins quarante minutes plus tard, j'allais remettre mon pantalon lorsque je remarquai que mes sous-vêtements, eux aussi, étaient trempés. (Tous mes sous-vêtements plus classiques étaient dans ma valise. Ceux que je portais étaient blancs à grands coeurs rouges — cadeau humoristique d'une ancienne petite amie.) Ainsi, mes pantalons sur un bras, et

---

* N.D.T.: en français dans le texte

de grands coeurs sur la tête, je remontai sur mon perchoir, dos à la porte.

Soudain, l'intensité de l'éclairage baissa et je me rendis compte que la porte venait de s'ouvrir sur une file de passagers impatients, la vessie pleine, qui, n'en croyant pas leurs yeux, contemplaient, bouche bée, ce tableau vivant qui aurait pu s'intituler *Effet de lune au-dessus des côtes françaises, avec coeurs*. Grommelant quelques explications sur les lacunes de la ventilation des toilettes dans les avions français, je refermai rapidement la porte. Je me rhabillai et me faufilai jusqu'à mon siège où je me plongeai dans mon journal sans plus en lever les yeux. J'étais complètement épuisé en arrivant à Paris.

Le choix judicieux numéro 8

Une bonne préparation professionnelle — plus 80 points

Pour résister au stress, il est extrêmement important d'avoir une bonne préparation professionnelle. Idéalement, si votre emploi vous convient, il correspond à votre niveau de compétence et vous possédez toutes les connaissances requises. Pour savoir si vous devez dire «oui» à des activités extraprofessionnelles supplémentaires afin d'augmenter votre efficacité, ou dire «non» pour éviter de devenir inefficace par excès de stress, il vous faut savoir où vous vous situez sur la courbe de stress (voir page 19).

Cela, combiné à une préparation précise et fouillée des tâches de la journée, vous permet d'augmenter votre résistance au stress inhérent à chacune de ces activités. Si vous êtes bien préparé à votre journée de travail, vous en tirerez un plus grand plaisir; tout comme, au théâtre, une répétition générale améliore la qualité de la première, une «répétition générale de stress» vous aidera à mieux faire face à vos défis quotidiens. Comme autre illustration, pensez aux différents niveaux de stress des étudiants qui passent des examens de fin d'année. Ceux qui n'y sont pas bien préparés passent un mauvais quart d'heure; ceux qui connaissent bien leur matière tirent profit du stress.

Vous pouvez également rendre votre préparation plus efficace en développant votre imagination positive; cette technique est déjà largement utilisée dans le domaine sportif. Par exemple, en faisant visionner ses meilleurs sauts à un sauteur en hauteur, l'athlète corrige de mauvaises habitudes (évidentes dans un mauvais saut) sans même qu'on les lui mentionne.

Dans une étude récente, on avait divisé une équipe de basketball en trois groupes. Un groupe s'entraînait aux lancers libres. Le second groupe faisait exactement la même chose, mais *sans ballon*, à l'autre bout du gymnase. Le troisième groupe était assis sur la touche. Comme on pouvait le prévoir, le dernier groupe ne s'est pas amélioré. Mais il est surprenant de noter que les deux autres groupes ont autant progressé l'un que l'autre, ce qui permet de penser que, même en imagination, sans le ballon, on peut tirer bénéfice d'une bonne

préparation. Le même travail d'imagination s'applique à tous les sports autant qu'à tous les emplois. Par exemple, si vous devez faire un discours, votre répétition sera aussi valable si vous la faites mentalement que si vous êtes sur les lieux.

BONNE PRÉPARATION PROFESSION-NELLE
Si c'est votre cas = +80.
Inscrivez votre score ci-dessous.

Le choix judicieux numéro 9

La sécurité financière — plus 90 points

Il n'est pas indispensable d'être immensément riche. Nous voulons parler ici d'une sécurité financière (en argent liquide, avoirs, formation, ou police d'assurance) suffisante pour ne pas vous retrouver à la rue si vous perdez votre emploi à cause d'un problème de santé ou d'une mauvaise conjoncture économique, une sécurité financière qui vous constitue un «interrupteur de stress» inestimable dans notre lutte contre le stress.

De façon pratique, si vous pouvez assumer les remboursements mensuels de tous vos emprunts cumulés, et si vos dépenses sont inférieures à votre revenu *net*, vous êtes en excellente position pour résister au stress.

Quel que soit votre salaire, vous devez établir un budget par écrit, et y inclure une enveloppe «*lutte contre le stress*». Ces fonds peuvent être minimes: ils doivent vous permettre d'aller au cinéma de temps en temps, ou d'engager un jeune étudiant qui se chargera de certaines tâches domestiques. Mais il est important de dépenser ces fonds régulièrement, et préventivement, *avant* que votre santé ne souffre d'une dose excessive de stress. *Faites-vous plaisir!* (Voir le chapitre 10.)

De mini-vacances préparées et prises chaque mois sont plus efficaces que des vacances prises après toute une année de stress ininterrompu. Faites une liste de vos priorités et des facteurs de stress les plus problématiques, et coordonnez-y des solutions compatibles avec votre budget.

Si vous faites un travail assez rémunérateur, il peut être rentable de payer — dans la mesure de vos moyens — pour faire faire certaines tâches ménagères (en vous réservant celles que vous *aimez* faire et qui ne nuisent pas à votre travail). Vous avez avantage à investir dans une réservation ferme au lieu de choisir un billet d'avion en «stand by» pour revenir de vos vacances, plutôt que de vous exposer à subir une perte de revenu en arrivant en retard au bureau. Si votre travail exige que vous conduisiez beaucoup, investissez dans la voiture la plus confortable et la plus attrayante que vous puissiez vous offrir. Ou faites ce que j'ai fait, engagez un étudiant pour vous conduire au travail, ce qui vous permettra de vous offrir du temps supplémentaire pour lire, dicter ou vous reposer. Aménagez votre maison de façon à ce qu'elle réponde le mieux possible à vos besoins et vous apporte le confort qui saura adoucir votre humeur après une journée de travail. Mais appliquez-vous à faire tout cela *dans les limites de votre budget*, faute de quoi vous tomberez rapidement dans les affres de la mauvaise gestion financière, comme nous l'avons vu au chapitre 3.

SÉCURITÉ FINANCIÈRE
Si c'est votre cas = +90.
Inscrivez votre score ci-dessous.

Le choix judicieux numéro 10

Un foyer stable — plus 100 points

Vous ne devez pas vous retirer à la campagne, avoir des animaux domestiques ou être marié (bien que les deux derniers éléments soient une aide précieuse). Mais si vous consacrez assez de votre énergie et de votre temps à maintenir un réseau d'amis suffisant et à conserver l'appui moral de votre famille, les agents stressants de votre journée s'en trouveront nettement amoindris. Vous pourrez échapper aux pressions quotidiennes de votre travail, ce qui vous procurera une satisfaction plus durable et plus importante qu'une escapade en vacances une fois par an.

Il est important de garder à l'esprit que le temps et l'effort investis à maintenir des relations harmonieuses avec ses amis ou sa famille portent toujours des fruits. Si cet aspect de votre vie est satisfaisant, vous avez maîtrisé la défense la plus valable qui existe contre le stress. Des convictions religieuses fortes ou un code éthique strict peuvent également être d'un important secours. Entre autres facteurs, c'est peut-être la raison pour laquelle des groupes comme les mormons vivent plus longtemps.

Il est prouvé que le contact avec les animaux domestiques amoindrit le taux de stress de leur maître en faisant baisser leur tension artérielle et leur pouls, ce qui accroît leur longévité. Les gens mariés semblent vivre plus longtemps que les célibataires (parfois le temps *semble* plus long). Le fait est que nous avons tous besoin de contacts physiques fréquents.

Il est certain que les contacts physiques ne sont qu'un des aspects d'une étroite collaboration interpersonnelle. Il y a bien d'autres avantages au niveau psychologique, social et spirituel. L'un des facteurs importants est de communiquer, de partager vos agents de stress avec votre famille. Si certains sacrifices doivent être faits, tous comprendront et vous appuieront. N'ayez pas peur d'aborder des sujets difficiles. Vous pouvez détruire une bonne relation en laissant les conséquences négatives de certains problèmes s'envenimer jusqu'à la guerre froide. Si vous mettez l'accent sur les avantages importants que vous trouvez à partager votre stress, les sujets difficiles deviendront beaucoup plus faciles à aborder et à résoudre.

FOYER STABLE
Si *c'est votre cas* = +100. *Inscrivez votre score ci-dessous.*

Quel est votre score?
Choix judicieux

Choix judicieux	Points accordés	Inscrivez votre score
1. Bon héritage génétique	+ 10	
2. Sens de l'humour	+ 20	
3. Alimentation saine	+ 30	
4. Stress de rechange	+ 40	
5. Objectifs réalistes	+ 50	
6. Bonne compréhension du stress	+ 60	
7. Relaxation et sommeil	+ 70	
8. Bonne préparation professionnelle	+ 80	
9. Sécurité financière	+ 90	
10. Foyer stable	+100	
Total si vous faites tous les choix judicieux =	+550	
Votre score		

Inscrivez les points que vous avez obtenus pour les choix judicieux	☐	Choix judicieux
Inscrivez les points que vous avez obtenus pour les mauvais choix, à la fin du dernier chapitre. (Voir page 57.)	☐	Mauvais choix
Pour obtenir votre résistance nette au stress, additionnez ces deux chiffres	☐	Résistance au stress sur l'échelle de Hanson
Soustrayez enfin les points que vous avez obtenus à l'échelle Holmes-Rahe (Voir page 70.)	☐	Score sur l'échelle Holmes-Rahe
Le total de vos points vous donne votre score net de stress.	☐	Score net de stress

Si votre total est inférieur à −300, il y a une *probabilité de 80 p. 100 pour que votre santé subisse un changement sérieux. Consultez votre médecin immédiatement!*

Nous pouvons maintenant avoir un tableau réaliste des vrais risques auxquels vous expose le stress. Plus votre score net est élevé (chiffres positifs), mieux vous maîtrisez votre stress, et moins vous êtes exposé à des défaillances cardiaques, à des ulcères ou à quelque crise physique grave, ou encore à un mauvais rendement au travail.

Si votre score est négatif (et inférieur à −300), vous courez des risques mortels. Remarquez que, même si vous n'avez pas été exposé récemment à un des stress figurant sur la liste de Holmes-Rahe, vous êtes malgré tout dans le groupe à haut risque simplement parce que vous faites certains des mauvais choix figurant sur l'échelle de résistance au stress de Hanson.

Cela *dépend de vous*. Une faillite, une mauvaise santé ou une mort prématurée dues au stress sont rarement l'effet du hasard; elles sont généralement imputables à l'*incompétence* (même inconsciente). Remarquez que dans les entreprises mal gérées les effets de l'incompétence peuvent se répercuter de haut en bas de la hiérarchie, en multipliant ainsi l'amplitude. Après avoir lu ce livre, j'espère que vous choisirez activement de *renforcer* vos réactions au stress, en d'autres termes, de vivre une vie meilleure et plus longue, en acquérant une plus grande *compétence consciente*.

N'oubliez pas que, même si votre score est bon aujourd'hui, le stress est dynamique. Vérifiez donc souvent où vous vous situez sur l'échelle. Si vous avez un poste de direction, faites réévaluer régulièrement le niveau de stress de vos employés.

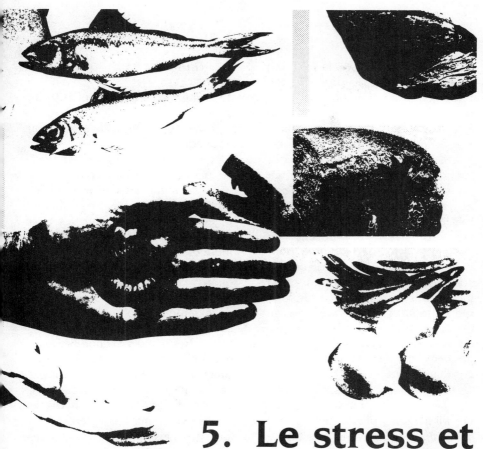

5. Le stress et la nutrition

On a rarement autant écrit de textes aussi ardus sur des sujets aussi simples que dans le domaine de la nutrition; c'est une mode dans tous les médias. Le jargon est complexe, truffé de termes que personne ne comprend à moins d'être titulaire d'un doctorat en biochimie. Les mots sont rébarbatifs, mais la réalité qu'ils recouvrent ne présente aucune difficulté majeure. En fait, avant la révolution industrielle, alors que la science de la nutrition en était encore à ses premiers balbutiements, la population mangeait probablement mieux que nous le faisons aujourd'hui, malgré toutes nos connaissances sur le sujet.

Si certains symptômes vous font douter de votre bon état général, il vous faut d'abord un *diagnostic* et non un régime alimentaire. Une fois le diagnostic posé, votre médecin vous enverra ensuite chez un professionnel de la nutrition pour qu'il vous donne certains conseils spécifiques, le cas échéant. C'est la façon dont on met au point le régime alimentaire d'un diabétique, ou encore celui des patients obèses, épuisés ou anorexiques, ou même de ceux qui se remettent d'une crise cardiaque.

L'un de mes professeurs disait que bien des gens auraient un régime alimentaire plus équilibré que celui qu'ils observent habituellement s'ils mangeaient de la cellophane filamentée saupoudrée d'acides aminés essentiels! On ne saurait prendre cette suggestion peu appétissante au pied de la lettre.

Un régime sain et équilibré comprend les six catégories d'aliments suivantes:
1. *protéines*, 15 à 20 p. 100 des calories;
2. *graisses*, 30 à 35 p. 100 des calories;
3. *hydrates de carbone*, 50 p. 100 des calories;
4. *fibres*, 50 grammes par jour (voir appendice);
5. *vitamines* et *éléments minéraux**;
6. *eau*, huit verres par jour.

Il est inutile de mesurer vos aliments avec précision. Les pourcentages recommandés pour les trois premiers éléments peuvent facilement être évalués à l'oeil en les servant selon les proportions indiquées dans votre assiette. Consultez votre médecin ou le ministère de la Santé pour obtenir les normes recommandées**.

L'obésité, ce mal endémique atteignant tous les groupes d'âge en Amérique du Nord, ne provient pas nécessairement d'une ingestion excessive de graisses ou d'hydrates de carbone, mais simplement du fait que les entrées caloriques (*quelle* qu'en soit l'origine) sont trop élevées par rapport aux dépenses caloriques.

Examinons de plus près les six catégories d'aliments qui doivent figurer dans un régime équilibré.

1. Les protéines

Les protéines sont nécessaires au bon fonctionnement de notre

---

* Nous consacrons une section de ce volume à l'importante question des vitamines et des sels minéraux. (Voir appendice.)

** Vous trouverez des exemples de repas équilibrés dans ce même appendice.

corps. Elles entrent dans la composition des gènes présents dès la conception et sont indispensables à la croissance. Les anticorps, qui nous permettent de lutter contre la maladie, sont des protéines. Elles forment les enzymes microscopiques qui règlent toutes les fonctions de notre corps, et elles entrent pour une grande part dans la constitution de nos os, de nos muscles, de nos organes, de notre flot sanguin et de nos hormones.

Tout le monde reconnaît l'importance des protéines, mais, malheureusement, nombreux sont ceux qui exagèrent. En Amérique du Nord, le régime alimentaire type comprend beaucoup trop de protéines: on en trouve non seulement dans la viande, mais dans la plupart des aliments.

Comme tout autre excédent calorique, l'excédent de protéine est converti en graisse et excrété sous forme de déchets nitrogénés. Le travail supplémentaire que représente son élimination est préjudiciable aux personnes atteintes de maladies du foie ou des reins.

Un excès chronique de protéines peut entraîner une baisse du calcium, et donc une déminéralisation des os. Il est donc important que l'ingestion de protéines soit raisonnable, c'est-à-dire environ 15 à 20 p. 100 du total des calories ingérées.

2. Les graisses

Les graisses ne sont pas «à bannir», mais sont présentes en trop grande quantité dans notre régime alimentaire: pratiquement 45 p. 100 des calories, alors que 30 p. 100 serait suffisant. Pour être équilibrée, notre alimentation doit comprendre des graisses animales et végétales, représentant de 30 à 35 p. 100 des calories absorbées. Là encore, *rien* ne sert d'exagérer en essayant de réduire à zéro notre ingestion de graisses. Certains spécialistes, dont le Dr Nathan Pritikin, ont remarqué que les maladies cardiaques sont extrêmement rares dans les pays du Tiers monde, où le régime alimentaire ne comprend ni graisses ni viande. Mais il serait faux de généraliser les conclusions tirées à partir d'une étude portant sur un organe seulement. En effet, s'il est vrai que ces sujets présentent moins de maladies cardiaques, leur espérance de vie étant beaucoup *plus courte* que la nôtre, la plupart ne vivent pas assez longtemps pour savourer cet avantage. Le taux de mortalité maternelle et infantile est extrêmement élevé, et celui de la mortalité par maladies infectieuses relativement bénignes est impressionnant, à cause de la malnutrition.

L'Association américaine des maladies du coeur a souligné que les graisses constituent les blocs de construction essentiels de notre système de défense et de notre système immunitaire. À ce titre, leur ingestion ne doit donc *pas* être réduite à zéro.

Récemment, on a beaucoup parlé des dépôts de cholestérol présents dans les artères coronaires des victimes d'attaques cardiaques, dépôts imputables, selon les résultats de certaines études, à la forte teneur en cholestérol de notre régime alimentaire. L'autopsie de jeunes soldats de dix-huit ans morts pendant la guerre de Corée a montré que, contrairement à celles des Chinois et des Coréens, les artères des Américains étaient déjà bloquées par des dépôts de cholestérol. Les deux cultures ont en effet au moins deux points évidemment différents: la teneur en graisses de leur régime alimentaire et le taux de cholestérol, une fois et demi plus élevé chez les Américains.

La première réaction est de tenir le cholestérol *ingéré*, et lui seul, responsable des *dépôts* de cholestérol. Cependant, des facteurs clés ont été identifiés depuis:

Les fibres

(Voir page 127.) On ne les trouve que dans les végétaux; elles jouent le rôle d'une éponge passive, passant dans vos intestins sans pénétrer plus avant dans votre corps. En quantité suffisante (50 grammes par jour), elles peuvent transporter quatre fois le volume du bol alimentaire quotidien moyen. Les selles tirent leur couleur brune des sels biliaires très riches en cholestérol

(même si vous êtes végétarien) produits par le foie. Si ces sels biliaires ne sont pas évacués avec les selles, ils sont déversés dans le sang. Un sujet qui mange plus de fibres et quadruple le volume de ses selles a donc nécessairement un taux de cholestérol plus bas. (Le régime alimentaire des Coréens est très riche en fibres, tandis que celui des Américains en contient très peu, et en contenait encore moins à cette époque-là.)

Un *excès de stress*

Si vous faites les *mauvais* choix en réaction au stress (voir le chapitre 3) et cumulez 300 points contre vous-même sur l'échelle d'évaluation du stress, les parois de vos artères présenteront probablement autant de dépôts de cholestérol que celles de tous les rats stressés de Hans Selye. Dans notre société occidentale, la course contre la montre, tant sur la chaîne de montage que face aux échéances dans un bureau, constitue un énorme facteur de stress qui semble priver le sujet de tout contrôle. (Comme nous le verrons au chapitre 10, cet état de choses n'est pas nécessairement irrévocable.)

Au moment de la guerre de Corée, la société coréenne était essentiellement rurale; son rythme de vie était lent. Le temps s'écoulait au rythme des saisons et non au millième de seconde. Le niveau net de stress était beaucoup plus bas, essentiellement parce que le score de résistance au stress mesuré sur l'échelle de Hanson était beaucoup plus élevé, ce qui explique pourquoi les artères des soldats coréens présentaient moins de dépôts de cholestérol que celles de leurs homologues américains.

Les graisses servent essentiellement à stocker l'énergie. Un gramme de graisse dégage neuf calories, tandis qu'un gramme de protéine ou d'hydrate de carbone n'en dégage que quatre. Pour le même volume, on ingère donc plus de calories dans un repas riche en graisses, parfois invisibles comme celles qui sont utilisées lors de la cuisson. Beaucoup de gens se méfient des graisses animales visibles (celles des viandes, des sauces, de la peau de poulet par exemple) mais oublient que les graisses végétales contiennent tout autant de calories. Le repas type composé de deux morceaux de poulet frit accompagnés de frites contient plus de mille calories, à cause de l'huile utilisée pour la friture. Une portion de pommes de terre frites arrosée de sauce contient, à elle seule, huit cents calories.

Outre leur fonction de stockage de l'énergie, les graisses enveloppent nos organes — les reins par exemple — et servent à l'entreposage des vitamines liposolubles (A, D, E et K). Elles servent également d'isolant en hiver, quoique cette fonction soit moins importante.

L'analyse du cholestérol (dans le sang)

Si vous êtes stressé, vous devriez faire vérifier votre taux de lipides sanguins tous les trois ans. Avertissez votre médecin des facteurs stressants auxquels vous êtes exposé, sans quoi, lors de votre bilan médical de routine, il pourrait ne pas demander cette analyse, pour laquelle il faut que vous observiez un jeûne d'au moins quatorze heures.

Il ne suffit pas d'analyser le cholestérol pour prédire les risques de défaillances cardiaques. Une analyse complète, déterminant le taux de «bon» et de «mauvais» cholestérol, et une indexation sont également nécessaires. Si les résultats de ces analyses sont élevés, il peut être important que tous les membres de votre famille, y compris les enfants de plus de dix ans, fassent vérifier le taux de certains types familiaux de cholestérol.

Que faire si votre médecin vous dit que votre taux de cholestérol est élevé?

Vous pouvez le réduire en adoptant les six mesures suivantes:

1. Perdez du poids si vous êtes obèse, et revenez à votre poids idéal.
2. Réduisez votre consommation totale de graisses, y compris la graisse animale. Après une période d'essai, votre médecin vous reverra pour surveiller vos progrès et réajuster votre régime.
3. Consommez 50 grammes de fibres par jour (voir l'appendice). Les fibres agissent comme une éponge et font passer le volume des selles d'un quart de livre à une livre par jour. Le cholestérol endogène excrété chaque jour est ainsi quadruplé.
4. Faites de l'exercice régulièrement (après avis médical et sur conseil d'un spécialiste du conditionnement physique). Le cholestérol n'est qu'un combustible et, si vous faites plus d'exercices, vous en brûlerez une certaine quantité.

5. Prenez des mesures pour remédier à l'excès de stress. Si votre vie devient trop compliquée, prenez le temps de réfléchir aux moyens de la simplifier. Courez-vous tout le temps parce que tout le monde en fait autant? Êtes-vous vraiment heureux de votre travail et de vos relations avec les autres? Réduisez les facteurs de stress inutiles qui dépendent de vous, comme les comportements du type A. Utilisez l'échelle de résistance au stress de Hanson pour améliorer votre résistance aux facteurs qui ne dépendent pas de vous.

6. Seulement en désespoir de cause, discutez avec votre médecin des effets d'une thérapie faisant appel à des substances chimiques.

Beurre ou margarine?

Le public étant très sensibilisé au fait que les dépôts de cholestérol sur les artères sont souvent à l'origine de troubles cardiaques, beaucoup de gens voient à tort la margarine comme un «aliment de santé», et le beurre comme étant «mauvais pour le coeur».

Bien d'autres facteurs interviennent dans les défaillances cardiaques. Dans quelle mesure le cholestérol ingéré entraîne-t-il des dépôts de cholestérol? La réponse n'est pas claire et encore à l'étude.

Bon nombre des margarines les moins chères contiennent une *grande* proportion de graisses saturées. Si vous voulez réduire votre consommation de graisses, cherchez des margarines de qualité, contenant plus de 35 p. 100 de graisses polyinsaturées.

Quoi qu'il en soit, la margarine n'est pas un aliment «naturel»; ce n'est pas non plus un remède miracle. C'est un aliment, rien de plus, au même titre que le beurre. Votre médecin peut vous recommander d'utiliser de la margarine s'il découvre que vous avez un problème (voir page 122) et veut voir comment vous réagissez à un régime faible en graisses saturées.

Après un test de contrôle, votre médecin évaluera si les résultats de vos analyses de sang s'en trouvent modifiés ou non. Dans l'affirmative, il vous demandera probablement de réduire votre ingestion de graisses polyinsaturées. Si aucune différence significative n'apparaît, le médecin peut en déduire qu'il est inutile de modifier votre régime habituel (et équilibré).

La margarine est également recommandée pour ceux qui n'ont pas de réfrigérateur (par exemple les campeurs), et ceux qui souffrent d'allergies aux produits laitiers.

Attention: Certaines margarines contiennent du lait écrémé en poudre. Lisez l'étiquette attentivement.

La margarine contient plus d'additifs et, pour beaucoup, son goût ne se compare en rien à celui du beurre. Elle contient exactement autant de calories que le beurre. Vous grossirez donc autant si vous mangez trop de l'un ou de l'autre. Comme nous l'avons dit plus haut, notre régime alimentaire est généralement trop riche en graisses; il faut donc limiter notre ingestion de graisse à la quantité recommandée, soit de 30 à 35 p. 100 (saturées et polyinsaturées) du total de notre apport calorique.

Sans sacrifier au goût, chacun choisira où il peut éliminer des graisses pour en diminuer la consommation. Nombreux sont ceux qui préfèrent le beurre pour les tartines ou pour la cuisson; si vous en êtes, continuez à l'utiliser. Mais, pour respecter le régime équilibré que je proposais plus haut, tartinez-le sur du pain riche en fibre (voir page 118).

En général, il est plus facile de diminuer sa consommation de graisses en supprimant les *graisses cachées*: en grillant ou en cuisant au four, au lieu de frire ses aliments, en enlevant le gras de la viande et en évitant les sauces. Servez plus souvent des légumes, de la volaille (sans la peau) ou du poisson blanc; utilisez de l'huile de maïs ou de tournesol dans les salades.

Des études montrent qu'entre 35 et 64 ans, les risques d'attaques cardiaques mortelles chez les hommes adventistes du septième jour sont deux fois moins élevés que ceux de la population en général, ce que pourrait expliquer l'importance capitale que les adventistes du septième jour accordent à certains des choix judicieux figurant sur l'échelle de résistance au stress de Hanson, dont un régime alimentaire équilibré (incluant une quantité suffisante de fibres), l'exclusion de tout alcool, tabac et caféine, et l'extrême importance d'un foyer stable.

En conclusion, il n'y a aucun problème à ce que les graisses tant animales que végétales constituent de 30 à 35 p. 100 des calories contenues dans un régime équilibré, dans la mesure où vous ingérez des *fibres en quantité suffisante*, où votre cycle de vie est satisfaisant et vous permet d'adopter une réaction adéquate au stress et où vos analyses de sang sont normales.

3. Les hydrates de carbone

On trouve les hydrates de carbone *simples* dans les sucres raffinés, la farine blanchie et l'alcool. Ce sont des calories vides. Au cours du raffinage, pratiquement toutes les fibres sont éliminées. C'est la consommation excessive de ces aliments, en moyenne 20 p. 100 des calories ingérées par les Nord-Américains chaque jour, qui a fait une mauvaise réputation aux hydrates de carbone.

On pense souvent qu'ils font grossir. Les hydrates de carbone ne renferment pourtant que quatre calories par grammes, exactement autant que les protéines. Il existe deux types d'hydrates de carbone: les hydrates de carbone simples et les hydrates de carbone complexes. On trouve les hydrates de carbone *complexes* dans les aliments complets, dont le blé entier, les légumes secs, les céréales entières, les fruits et les légumes. Les féculents constituent une source d'énergie particulièrement valable en situation de stress.

C'est également ce qui explique que les hydrates de carbone ont la réputation de faire grossir sans rassasier. En situation de stress, le taux des hydrates de carbone simples dans le sang est déjà plus élevé que la normale. Il est donc parfaitement inutile d'en ingérer des doses supplémentaires.

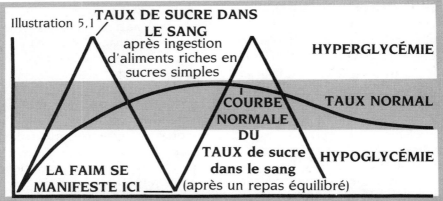

Illustration 5,1

TAUX DE SUCRE DANS LE SANG après ingestion d'aliments riches en sucres simples

HYPERGLYCÉMIE

COURBE NORMALE DU TAUX de sucre dans le sang (après un repas équilibré)

TAUX NORMAL

HYPOGLYCÉMIE

LA FAIM SE MANIFESTE ICI

Les hydrates de carbone ou les sucres complexes comprenant des fibres sont absorbés beaucoup plus lentement que les sucres raffinés.

Si votre régime comprend beaucoup de sucre raffiné, vous devenez l'esclave de votre taux de sucre. Vous ressentez d'abord un besoin urgent de sucre, car votre taux est en chute. Vous mangez du sucre, ce qui vous rend hyperglycémique, et vous donne une impression fugace de «satisfaction». Puis, très rapidement, vous tombez en hypoglycémie, et ressentez à nouveau ce besoin irrésistible d'une «injection d'énergie». Vous seriez incapable d'attendre que des aliments naturels augmentent lentement votre taux de sucre. Cette habitude est très facile à prendre, ce qui explique pourquoi la plupart d'entre nous ne peuvent résister à la tentation de manger plus d'un ou de deux biscuits quand ils en ont un paquet sous la main.

Les hydrates de carbone complexes (comme les pâtes alimentaires, le pain de blé entier et le riz complet), et non plus uniquement les protéines (comme le steak avant le combat de boxe) sont les meilleures sources d'énergie face à un stress, que ce soit dans le domaine sportif ou non.

Pour le corps humain, les hydrates de carbone constituent la source d'énergie la plus facile à brûler, et celle qui laisse le moins de déchets. Le sucre de canne naturel est un hydrate de carbone complexe qui contient beaucoup de fibres; c'est donc un sucre qui ne fait pas grossir car il occupe beaucoup de volume dans l'estomac et qu'il

126

est donc difficile d'en absorber des quantités excessives. Le sucre «raffiné», par contre, ne contient pratiquement plus aucune fibre. Il est donc très facile d'en absorber des quantités excessives. Le Nord-Américain moyen consomme plus de cent livres de sucre par an, sous une forme ou une autre, ce qui est plusieurs fois supérieur à la quantité requise.

Le sucre est tout particulièrement traître dans les boissons gazeuses: un verre de boisson gazeuse, dont la teneur en sucre raffiné, donc en calories vides, est très élevée, occupe le même volume qu'un verre d'eau. Que vous ayez ou non absorbé les hydrates de carbone simples contenus dans la boisson gazeuse, cela ne changera rien à la quantité de nourriture que vous mangerez au repas suivant. De façon générale, en vous limitant aux boissons gazeuses qui ne contiennent pas de calories, comme les sodas diète, ou aux thés d'herbes et au café décaféiné, il vous sera beaucoup plus facile de maintenir l'équilibre normal du sucre dans votre corps.

L'eau demeure la boisson par excellence. Si l'eau du robinet a mauvais goût, il serait bon de choisir de l'eau de source ou de l'eau minérale en bouteille. Il va de soi que vous ne serez pas obèse si vous prenez l'habitude d'ingérer votre sucre sous sa forme originale: les fruits et non leur jus, où toutes les fibres ont été éliminées.

4. Les fibres

Les fibres sont très probablement l'élément le plus sous-estimé de notre régime alimentaire. Ce sont tout simplement les cellules de protection des aliments végétaux qui ne sont pas digérées par les mammifères. On ne les retrouve donc pas dans les viandes ni dans les produits animaux comme le lait ou les oeufs. Il n'est d'ailleurs pas recommandé de suivre le régime Scarsdale pendant plus de deux semaines: ce régime n'est pas équilibré et n'apporte que très peu de fibres. De plus, il peut être dangereux d'ingérer autant de protéines, comme nous le verrons lorsque nous traiterons du métabolisme. (Cependant, le régime Scarsdale ne présente aucun danger lorsqu'il est suivi pendant deux semaines, comme cela est recommandé.)

Beaucoup de régimes amaigrissants à la mode qui consistent à ne manger qu'un type d'aliment à la fois, par exemple des pamplemousses, du beefsteak ou des avocats, ne reposent sur aucune donnée médicale réelle. Ils ne sont efficaces que parce qu'ils sont ennuyeux. Si vous mangez toujours la même chose, à la longue vous finirez par vous en lasser. L'un de mes patients m'a récemment avoué avoir fait un régime uniquement constitué de bananes pendant sept semaines. (Son poids n'a pas bougé, mais, maintenant, il sent le singe!)

S'il y a un élément nutritif que vous pouvez manger à satiété, ce sont les fibres, puisque notre corps les élimine complètement. Lorsque vous mangez des fibres, c'est un peu comme si vous mangiez une éponge. Elles traversent les intestins sans subir aucune modification. Quand vous allez à la selle, cinquante grammes de fibres peuvent transporter plus de cent calories non digérées. Si votre bol alimentaire contient des fibres, vous pourrez donc manger un peu plus sans pour autant gagner de poids.

Depuis un siècle, par suite des méthodes modernes de raffinage des aliments, notre régime alimentaire contient de moins en moins de fibres; par contre, la consommation annuelle moyenne de sucre est passée de cinq à cent livres par personne!

Des études portant sur les pays du Tiers monde ont établi l'incidence des fibres sur les affections cardiaques, le diabète et le cancer, ainsi que sur les désordres intestinaux, comme la colite. Le docteur Denis Burkitt a remarqué une forte corrélation entre ces affections et le volume des selles. Il a montré que le régime alimentaire occidental type produit un quart de livre de selles par jour, alors que le régime alimentaire type en Afrique ou en Asie en produit une livre. La durée du transit — c'est-à-dire le temps que met la nourriture pour traverser le tube digestif — n'est que d'un jour et demi pour les Africains, comparée à trois jours pour la majorité des adultes nord-américains. Pour les personnes âgées, elle peut être de plusieurs semaines!

En Asie, au cours de la Seconde Guerre mondiale, le régime alimentaire des prisonniers de guerre britanniques était riche en fibres (cosses, feuilles, etc), tandis que leurs gardes japonais avaient droit à un régime plus raffiné. Malgré la dose de stress importante imposée aux prisonniers, c'est parmi les geôliers que l'on observait le plus de cas d'ulcères de l'estomac et du duodénum. Plus tard, certains prisonniers furent transférés à Hong Kong, où ils avaient un régime alimentaire occidental plus «normal». Le nombre d'ulcères augmenta sensiblement, mais diminua de nouveau lorsqu'ils furent renvoyés dans des camps plus rudimentaires.

Beaucoup de gens pensent qu'un régime riche en fibres serait absolument insipide; comme si on leur demandait de manger le papier d'emballage de leur muffin au son. Pourtant, certains des aliments que l'on retrouve dans ce régime sont peut-être vos aliments préférés: les pommes de terre au four, le pain de blé entier, les pâtes alimentaires, le maïs, les pois et les haricots au four. Peut-être même vous en privez-vous parce que vous essayez de perdre du poids. N'oubliez pas que les fibres rassasient et qu'il est (presque) impossible de devenir obèse en mangeant des aliments riches en fibres.

Où trouver les fibres? Toutes les plantes en contiennent, sous différentes formes. Le son de blé pur est constitué pour moitié de fibres. Le son provient du raffinage des grains lors de la fabrication de la farine blanche. C'est l'une des meilleures formes de fibres, mais malheureusement nombreux sont ceux qui trouvent que son goût s'apparente grandement à celui de la litière à chat déjà utilisée. Étant donné qu'il est difficile d'ingérer plus d'une once de son par jour, il est recommandé de chercher d'autres sources de fibres. (N'allez quand même pas jusqu'à manger ce livre!)

Il est important de varier vos fibres. En général, les légumineuses (haricots, pois), le maïs, les pains de blé entier et les biscuits riches en fibres sont de bonnes sources. Voici une liste de certains aliments spécifiques qui sont riches en fibres:

Tableau 5,2

Aliment	Poids de fibres (en grammes)	Calories
Haricots au four sauce tomate — 1 tasse	16,0	180
Pomme de terre au four — taille moyenne	5,0	91
Framboises — 1/2 tasse	4,6	20
Riz brun — 1/2 tasse	5,5	83
Pain de son naturel — 2 tranches	7,0	150
Grosse pomme	4,5	80
Céréale de son à 100 p. 100 — 1/2 tasse (1 oz)	8,2	72
Blé filamenté — 2 gros biscuits	4,4	190
Muffin au son et farine de blé entier — sans raisins secs ni dattes	2,3	78
Biscuits Fibermed® — 2	10,0	120

Les avantages des fibres

Dans la bouche

Les fibres ralentissent votre ingestion de calories, puisque vous mâchez un bol alimentaire plus volumineux pour le même nombre de calories. Les obèses mangent généralement trop vite, tout comme ils cherchent souvent le régime miracle qui leur fera perdre du poids rapidement. La clé de leur comportement semble être la *rapidité*. Ils mangent peut-être rapidement parce qu'ils ont un sentiment de panique à l'idée de ne pas disposer d'assez de temps dans une journée pour engouffrer les quelques milliers de calories en trop qu'ils ont l'intention d'avaler. Ou bien ils ont un étrange sentiment de culpabilité, la peur d'être surpris en train de manger. C'est ici la mise en application de la vieille théorie du «pas vu, pas pris».

En augmentant la quantité de fibres que vous ingérez, et donc le volume de nourriture que vous devez mâcher, vous mangerez plus lentement: votre plaisir sera plus long. De plus, votre organisme pro-

Dans l'intestin, l'effet «éponge» des fibres ralentit l'absorption du sucre dans le sang; chez un diabétique, il permet donc de diminuer considérablement la dose d'insuline. Comme nous l'avons vu plus haut, un régime alimentaire riche en fibres abaisse également le taux de cholestérol dans le sang. Pour ceux qui veulent perdre du poids, l'un des aspects les plus agréables d'un régime riche en fibres est le suivant: environ 150 calories, soit 10 p. 100 de l'ingestion totale de calories, passent dans le corps sans être digérées et sont transformées en selles.

duira plus de salive, ce qui facilite la digestion préliminaire des protéines, et améliore donc la digestion.

Dans l'estomac

Un bol alimentaire riche en fibres reste plus longtemps dans l'estomac: votre estomac demeure plein pendant plusieurs heures; vous n'avez donc pas faim une heure après avoir mangé. De plus, ayant un bol alimentaire plus volumineux à traiter, l'acide gastrique s'épuise plus rapidement. C'est donc un système de protection naturel qui est d'autant plus important qu'on est stressé, car le supplément de cortisone produit à ce moment-là rend la membrane interne de l'estomac plus vulnérable à l'acide gastrique; voilà donc l'une des mesures concrètes que vous pouvez prendre pour vous protéger contre les effets du stress.

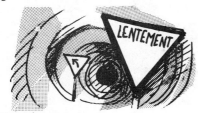

Dans le sang

Nous avons déjà vu le regain de faim (hypoglycémie) suivant l'ingestion d'hydrates de carbone ne contenant aucune fibre (voir l'illustration 5,1). Votre faim une heure après avoir ingéré un repas chinois (souvent à base de riz blanc) repose donc sur des faits médicaux. Et d'ailleurs, les Chinois vivant dans des régions rurales n'utilisent pas un riz blanc «raffiné». Le riz riche en fibres qu'ils utilisent les rassasie pendant plusieurs heures.

Immédiatement après l'ingestion d'un repas, de l'*insuline* est produite en grande quantité. Le niveau de sucre demeure normal pendant environ deux heures, après quoi il y a un phénomène de regain de faim, qui peut être évité en ingérant beaucoup de fibres, qui ralentissent la digestion des hydrates de carbone.

Dans les intestins

En mangeant suffisamment de fibres, le nombre de calories éliminées dans les selles augmente, puisque la quantité d'aliments non digérés est plus importante. De plus, l'organisme va puiser dans le sang les protéines et le cholestérol nécessaires à la fabrication du surplus de suc gastrique.

Il est prouvé que l'incidence des inflammations intestinales (colites, entre autres) et, de façon plus importante, des cancers de l'intestin est directement fonction du volume de fibres contenu dans le régime alimentaire. Bien que les fibres augmentent la durée du passage du bol alimentaire dans l'estomac, elles diminuent sensiblement celle du passage dans le gros.

Il faut se rappeler cependant qu'un régime alimentaire riche en fibres peut entraîner une mauvaise absorption du calcium, ce que deux verres de lait ou tout autre aliment riche en calcium par jour corrigent aisément.

Le zinc, le magnésium et autres sels minéraux présents en traces sont éliminés avec les fibres. C'est pourquoi, comme nous le verrons plus loin, je recommande de prendre une multivitamine chaque jour.

La constipation: la cure efficace

On est «constipé» lorsque l'on doit faire un effort pour produire des selles dures et sèches. La fréquence des selles est moins importante que leur consistance. La constipation est l'un des problèmes que j'observe le plus souvent, tout particulièrement chez les personnes âgées. C'est également, de façon surprenante, un problème chez beaucoup de jeunes, causé le plus souvent par leur inactivité. Il est faux de penser que la constipation est un problème que vous devez traîner toute votre vie, une maladie qui ne se guérit pas. La constipation n'est pas une maladie; c'est simplement un dysfonctionnement que l'on peut éviter, une «désorganisation».

Pour vaincre la constipation, suivez les trois étapes suivantes:

1. *Mangez suffisamment de fibres.*

Visez 50 grammes par jour, que vous trouverez dans votre régime alimentaire. Consultez l'appendice C pour plus de renseignements. Les suppléments de fibres ne présentent aucun danger, mais sont inutiles si vous mangez bien.

Le vieux dicton anglais «*an apple a day keeps the doctor away*» (une pomme par jour éloigne les médecins) découle essentiellement du fait que la pomme est une bonne source de fibres, et aide donc à éviter la constipation.

2. *Corrigez la tonicité de vos muscles abdominaux.*

Il est important d'avoir de bons muscles abdominaux pour éviter la constipation; ils augmentent la pression exercée sur les parois de l'intestin. C'est la raison pour laquelle, cloués au lit, même de jeunes athlètes très en forme peuvent souffrir de constipation. Les muscles ne sont que très peu sollicités pendant un long séjour allongé, comme d'ailleurs pendant une grossesse ou après un accouchement.

Pour ce qui est des personnes âgées, dans bien des cas, la tonicité des muscles abdominaux pose un problème important, car ils n'ont jamais travaillé — ou en tous cas, pas depuis quelques années. La grande majorité des personnes âgées étant aujourd'hui des femmes (nous en avons vu les raisons historiques ailleurs dans ce livre) et, de leur temps, les gaines et les corsets tenant lieu d'exercice physique, les problèmes de constipation semblent être plus courants chez elles, et en particulier chez les femmes obèses.

Cependant, ce problème affecte indifféremment les hommes et les femmes de tous âges, si leurs muscles abdominaux sont relâchés. J'ai remarqué que les enfants sont eux aussi atteints de constipation, dans une proportion étonnante, à cause de muscles abdominaux paresseux.

3. *Choisissez le bon moment*

Bien que cela puisse sembler peu ragoûtant, notre corps dispose d'une fonction appelée en jargon médical — et à juste titre — réflexe de «délestage» gastro-colique. Ce réflexe se produit environ vingt minutes après un repas complet; il constitue pour vous le signal d'un mouvement intestinal. Malheureusement, si vous êtes dans l'autobus ou en réunion, par exemple, il vous sera impossible d'y répondre. Si vous allez aux toilettes quelques heures après le repas, vous perdez l'avantage de ce réflexe naturel, et aurez généralement moins de succès.

Pour résumer tout ce que nous venons de dire, le plus simple serait de choisir un moment qui soit pratique pour vous au cours de la journée; le petit déjeuner, par exemple. Commencez votre journée vingt minutes plus tôt, ce qui vous donnera le temps de faire quelques exercices abdominaux et des étirements. Puis prenez votre petit déjeuner, riche en fibres et en liquides: du pain de blé entier grillé, des céréales de son, un fruit frais et un ou

Voici trois exemples d'exercices abdominaux sans danger, mais efficaces. Pour plus de détails, consultez votre médecin ou un professionnel du conditionnement physique.

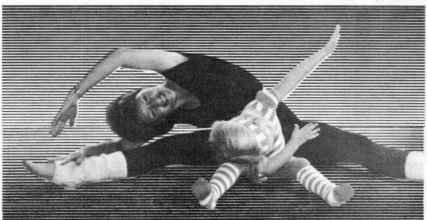

deux verres d'eau en bouteille. Assurez-vous que votre horaire vous permet de passer cinq minutes environ aux toilettes lorsque, après le petit déjeuner, vous ressentirez «l'appel du sphincter».

Ce plan a toujours réussi à quiconque l'a suivi de façon régulière. Point n'est besoin de prendre l'un ou l'autre des médicaments vendus sur le marché. La constipation, comme nous l'avons vu, n'est pas une maladie, mais une désorganisation.

La constipation peut également être guérie par l'art traditionnel chinois de l'acupuncture. Il s'agit d'une aiguille longue de six pouces qui donnera des résultats là où tout a échoué. Le médecin n'a même pas besoin de planter l'aiguille. Il lui suffit de la montrer au patient!

L'un des meilleurs trucs pour perdre du poids est de ne boire que des liquides dépourvus de calories. Sans quoi vous boirez beaucoup de calories vides, sans rien faire pour supprimer votre appétit au cours du prochain repas. En général, évitez les jus de fruits (qui ne sont que des fruits sans fibres), et mangez le fruit entier. Par un chaud après-midi d'été, il est facile de boire plusieurs verres de jus de fruits, sans pour cela avoir moins d'appétit au repas du soir. Si vous essayiez de manger toutes les pommes pressées pour faire le jus que vous avez bu, vous en seriez incapable, et encore moins de manger un repas normal en plus!

5. Les vitamines et les éléments minéraux

On a dit et écrit beaucoup de bêtises au sujet des vitamines et des éléments minéraux. La plupart des régimes *équilibrés* en apportent généralement la dose quotidienne recommandée.

Cependant, la seule source alimentaire est parfois insuffisante; c'est le cas du régime riche en fibres que je recommande contre le stress: les fibres qui vous protègent du stress se combinent avec les vitamines et les minéraux, et entravent leur passage dans le sang. Un supplément multivitaminique viendra donc facilement corriger la situation.

La source alimentaire de vitamines et de sels minéraux est également insuffisante dans les cas suivants:

• Un régime strictement végétarien
• Un régime amaigrissant à moins de 1 500 calories par jour
• La grossesse ou l'allaitement
• La période de croissance chez l'enfant
• Une mauvaise absorption chez la personne âgée
• L'alcoolisme ou la narcomanie
• Une convalescence après opération chirurgicale, brûlures ou maladie
• Une dose excessive de stress

Il est important de consulter votre médecin avant de prendre des vitamines: les mégavitamines peuvent être dangereuses, et même mortelles. De plus, ce n'est pas parce que des vitamines sont «organiques» qu'il est sans danger d'absorber tout l'alphabet — de la vitamine A à la vitamine Z — ou qu'elles sont intrinsèquement plus efficaces que les vitamines chimiques. En fait, la vie et la stabilité des vitamines organiques sont souvent plus courtes que celles des vitamines chimiques.

En fin de volume, à l'appendice B, vous trouverez des données concernant les vitamines et les éléments minéraux; elles sont présentées comme complément et comme référence. Contrairement à ce que l'on pense, le sujet n'est pas très complexe.

Le jargon habituellement utilisé par les «experts» (c'est-à-dire non seulement les pseudo-diététiciens, mais également certains membres du corps médical) impressionne à tort le grand public: en cas de déficiences alimentaires, les gens réussissent facilement à en reconnaître les symptômes habituels.

6. L'eau

Je recommande de boire (et je bois) huit verres d'eau par jour, et cela est particulièrement important pour qui subit beaucoup de stress. Une consommation suffisante d'eau est bénéfique à plusieurs organes de notre corps.

1. Le sang

Huit verres d'eau par jour rendent notre sang moins visqueux. Comme nous l'avons vu au chapitre 2, en réaction au stress, l'organisme épaissit le sang en libérant de façon réflexe des facteurs coagulants et des globules rouges supplémentaires produits dans la moelle épinière et dans la bile. Cet effet de «boue» dans vos artères rend la circulation sanguine plus difficile et vous prédispose à l'infarctus si vos vaisseaux coronariens sont déjà partiellement obstrués. De la même façon, faute de boire assez d'eau, vous vous exposez à une embolie (caillot transporté dans les vaisseaux par le sang et se logeant dans un autre organe) ou à une défaillance cardiaque.

Les effets secondaires de doses prophylactiques des médicaments visant à fluidifier le sang sont encore à l'étude. Selon les résultats les plus récents, il est préférable de s'abstenir de prescrire ces médicaments à de jeunes adultes, car les effets secondaires d'une ingestion à long terme sont encore mal connus chez l'humain. Cependant, il est *incontestable* que la déshydratation épaissit le sang, et que l'hydratation le fluidifie. Dans votre lutte contre le stress, huit verres d'eau ajoutés à votre régime alimentaire quotidien présentent des avantages certains.

2. La peau

La peau est plus ridée et plus rugueuse quand elle est déshydratée. De plus, elle requiert suffisamment d'eau pour régler la température du corps par la sueur.

3. La voie gastro-intestinale

Une bonne hydratation favorise la digestion et le transit de selles molles.

«J'aurais besoin de diurétiques pour perdre du poids rapidement...»

Les pilules diurétiques sont très à la mode parce qu'elles entraînent la perte de cinq ou six livres de liquide en quelques jours seulement. Cependant, comme je l'explique généralement aux gens, on devrait plutôt parler de «pilules anti-sel», puisque c'est du sel que vous perdez; l'eau suit passivement. Il est donc inutile si vous en maintenez la consommation à table. Par ailleurs, si vous ingérez moins d'eau, votre sang est plus concentré, plus salé, et vous faites de la rétention d'eau. Vous pouvez donc obtenir les mêmes avantages qu'avec les diurétiques en diminuant le sel et en buvant plus d'eau, solution beaucoup plus anodine qui ne menace aucunement l'équilibre délicat des électrolytes du corps. De toute façon, pendant un régime amaigrissant, perdre de l'eau, par quelque moyen que ce soit, n'a aucun sens. Ce qu'il faut perdre, ce sont les graisses.

4. Les voies respiratoires

Lorsque l'air est sec ou froid, vos poumons jouent le rôle d'*humidificateur* vivant face à l'air ambiant. La buée que vous voyez lorsque vous exhalez par temps froid n'est que de l'eau qui s'échappe de votre corps. Le même phénomène se produit par temps chaud ou sec, mais il est invisible. Si la perte d'eau dans les poumons n'est pas comblée par une absorption correspondante d'eau, la paroi muqueuse des poumons devient très épaisse et très gluante, et votre résistance aux infections pulmonaires s'amoindrira.

5. Les voies urinaires

Les bénéfices d'une bonne hydratation sont ici légion. En maintenant un volume d'urine important, on prévient toute une gamme de problèmes des voies urinaires, dont les calculs, les infections de la vessie et des reins. Le sang est également nettoyé de tous les déchets produits en excès par le métabolisme. Une mauvaise hydratation, et des déficiences rénales de tous ordres peuvent survenir, avec leurs conséquences sérieuses sur l'organisme: somnolence, fatigue, augmentation de la pression sanguine, rétention d'eau, entre autres.

Dans les grands centres urbains, l'eau est potable et bon marché, mais il vaut mieux s'en servir pour faire la vaisselle et arroser le jardin que pour la boire en grande quantité. Lorsque je recommande à mes patients de boire leurs huit verres d'eau (et autres liquides) par jour, je sais qu'il est difficile de s'y tenir en buvant de l'eau du robinet.

J'admets qu'il n'est pas très engageant de boire huit verres d'une eau tiède au goût métallique, traitée chimiquement. Ceux qui ont suivi mon conseil — mais ont utilisé de l'eau du robinet non filtrée — ont souvent abandonné une fois éteint leur enthousiasme du début, simplement à cause du goût de l'eau.

L'eau la plus pure est l'eau distillée, mais elle n'a absolument aucun goût. L'eau dont le goût est le meilleur est l'eau de source ou l'eau minérale. C'est de l'eau de pluie ou de la neige fondue filtrée par des sables et des roches, qui s'accumule dans des réservoirs naturels souterrains. Selon la nature du sol et des sables de la région où elle est recueillie, son goût peut varier. Vous devriez pouvoir facilement en trouver une dont le goût vous satisfasse, et que vous prendrez donc plaisir à boire.

En Amérique du Nord, personne n'a jamais hésité à acheter de l'eau, pourvu qu'elle contienne du sucre (boissons gazeuses, jus) ou de la caféine (café, thé, ou thé glacé). Pour vous désaltérer, prenez de l'eau, pure et simple. Si vous achetez de l'eau en bouteille au lieu de certaines de ces boissons gazeuses, vous ferez des économies, diminuerez vos frais dentaires et augmenterez votre résistance au stress.

Un mot sur le sel

Le sodium est un élément indispensable à la chimie de notre corps; sans sodium, nous mourrions. Historiquement, il avait une importance telle que les travailleurs recevaient un morceau de sel en guise de paie. C'est d'ailleurs la racine du mot *salaire*.

Par temps chaud, un travail ou de l'exercice physique éprouvants augmentent les besoins du corps en sel, pour remplacer celui qui est perdu dans la transpiration. (Ironiquement, le taux de sel de la transpiration est relativement faible, comparé à celui du sang. Mais après une évaporation constante, il se crée une couche de sel sur la peau, ce qui fait la joie du chien de la maison.)

Il faut donc remplacer le sel perdu; toutefois, vous atteindrez rapidement le surdosage si vous ingérez des pilules de sel par poignées. Vous pouvez confectionner un substitut plus judicieux en ajoutant une cuillérée à thé de sel à une pin-te d'eau coupée de jus de citron. Ou, si cette formule ne vous convient pas, essayez les boissons prémélangées de jus de fruits et d'électrolytes que l'on vend dans les magasins de sports. Vous pourriez également prendre une pinte de lait écrémé par jour, avec beaucoup d'eau et du jus de fruits.

Le sel est utilisé pour la conservation des aliments, ou pour créer un état de manque et *augmenter* la consommation d'un produit. (Personne ne mange *une seule* cacahuète salée ni *une seule* croustille.)

En moyenne, les besoins en sel sont de trois grammes par jour, soit moins de deux tiers d'une cuillerée à thé. Mis à part les situations mentionnées plus haut, il est inutile de mettre le sel sur la table, d'en ajouter à la cuisson, ou d'en ingérer dans des collations hypersalées. Un excès de sel fait monter la tension, entraîne des accidents par congestion cardiaque, et des déficiences rénales, ainsi que de la rétention d'eau (souvent pendant les grossesses, en période prémenstruelle, et en cas de déficience cardiaque).

Un mot sur le décalage horaire

Le «décalage horaire» est la désorientation physiologique de toutes nos fonctions mentales et corporelles survenant lors de vols aériens est/ouest traversant plusieurs fuseaux horaires.

Ce phénomène est particulièrement gênant pour les hommes d'affaires qui sont appelés à voyager souvent et dont la fatigue peut entamer la capacité de décision.

Jusqu'à un certain point, ces modifications physiologiques (transmises par notre «horloge» interne, fonctionnant sur le mode diurne, soit sur douze heures) constituent un inconvénient inévitable pendant le voyage. De plus, bien des tentations offertes au cours du voyage ne feront qu'empirer le phénomène: les films projetés tard, les boissons alcoolisées bon marché (ou même gratuites), les repas lourds, spécialement s'ils sont servis à des heures inhabituelles sur votre «horloge» interne. De plus, les vols de nuit interrompent votre sommeil.

Quoi qu'il en soit, le problème principal est, de façon surprenante, la déshydratation.

Dans un avion pressurisé, l'humidité ambiante pendant le vol est généralement de 2 p. 100: l'air extérieur étant à -40°F, on doit le réchauffer avant de le souffler à l'intérieur de la carlingue, ce qui, du même coup, le dessèche; les 2 p. 100 d'humidité proviennent des passagers: l'eau du corps est transmise à l'air par la peau (ce qui explique la sécheresse de votre peau et de votre bouche après un vol), et, en grande partie, par vos poumons. Chaque respiration aggrave donc votre déshydratation. Malheureusement, la plupart des passagers tentent de remplacer cette perte de liquide par de l'alcool, et *accentuent* leur déshydratation. Au contraire, en toute logique, il faut boire autant d'eau embouteillée que vous le pouvez pendant le vol (au moins un à deux verres par heure).

Caveat emptor...

Les médecins étant trop nombreux dans beaucoup de grands centres urbains, certains se sont taillé un créneau très rentable dans le domaine de la nutrition. Nombre d'entre eux mettent à tort l'accent sur la complexité du sujet. Ils vendent non seulement leur temps et leurs conseils, mais également toute une gamme de suppléments alimentaires très onéreux, appuyés d'une batterie de tests — souvent douteux — d'urine, de morceaux de cheveux et autres, généralement réalisée une fois par semaine par l'infirmière du médecin, dans le cabinet de celui-ci.

À grands frais, les patients confiants deviennent dépendants tant du médecin que de ses suppléments, mais n'en tirent que de minces avantages médicaux. Ces médecins sont heureusement peu nombreux, mais ils exigent qu'on leur obéisse sans déroger. Je suggère donc fortement qu'avant d'investir dans ce genre de traitement, vous obteniez l'opinion d'un autre médecin pour vérifir le bien-fondé du diagnostic, car les cas de déficiences alimentaires graves requérant des traitements aussi sévères et coûteux sont extrêmement rares sur le continent nord-américain.

En consultation, je constate que la plupart de mes patients comblent leurs besoins en vitamines; je préfère d'ailleurs qu'ils aillent chercher le plus gros des vitamines dans une alimentation saine et équilibrée. Cependant, par suite du manque de zinc et de vitamine C qu'entraîne le stress, et du bien-fondé d'une absorption de vitamine C et E pour la prévention du cancer des intestins, je recommande habituellement l'ingestion quotidienne d'une combinaison standard de ces trois éléments que l'on retrouve dans les suppléments vitaminiques contre le «stress» avec zinc. N'oubliez pas que, si vous présentez l'un des symptômes de déficience vitaminique, vous devez consulter votre médecin pour avoir un diagnostic avant d'entreprendre un traitement.

Le stress et l'obésité

En Amérique du Nord, 40 p. 100 de la population est obèse. Par obésité, j'entends tout excès de poids supérieur à 10 p. 100 du poids idéal. Pour une femme de cinq pieds, le poids «idéal» est de 100 livres, auxquelles on ajoute cinq livres pour chaque pouce supplémentaire. Pour un homme, la base du calcul est de 115 livres pour cinq pieds.

Le poids idéal d'une femme de

cinq pieds six pouces est donc d'environ 130 livres; celui d'un homme de six pieds, 175 livres. Il peut y avoir de grosses fluctuations selon l'ossature, mais vous saurez que vous êtes à votre poids idéal si vous vous sentez bien et que vous êtes à votre avantage dans votre maillot de bain. L'obésité n'est rien d'autre qu'un mauvais équilibre arithmétique. Pour être obèse, vous devez ingérer plus de calories que vous n'en utilisez. Cet excès de calories est emmagasiné sous forme de graisses. Il n'y a pas à tergiverser; c'est une loi simple et naturelle.

De façon générale, les obèses refusent de reconnaître qu'ils mangent trop. Un jour j'ai vu un patient qui prétendait grossir «simplement en regardant de la nourriture». À l'entendre, tous ses compagnons de travail mangeaient beaucoup mais restaient minces. Lui, par contre, avec une salade et de l'eau, grossissait. Il était fermement convaincu que malchance et mauvais métabolisme étaient la source de tous ses maux. Après un questionnaire long et approfondi, j'ai découvert qu'il mangeait des boîtes entières d'arachides salées plus un sandwich — apprêté avec les «restes» du dîner — et des croustilles avant de se coucher. Consommation quotidienne moyenne: 3 500 calories. Dépense d'énergie: 1 500 calories. Poids: 262 livres pour cinq pieds neuf pouces: cent livres de trop.

Les obèses nient souvent qu'ils sont de gros mangeurs, et retiennent uniquement les repas très modestes qu'ils font à l'occasion: la fois où ils ne mangent qu'un demi-pamplemousse et quelques tranches de carotte. Il est important de ne pas oublier que les «grosses bouffes», même une fois par mois, viennent s'ajouter à toutes les autres calories ingérées. Il ne sert à rien de suivre un régime à 800 calories du lundi au vendredi si, pendant la fin de semaine, vous vous jetez sur les arachides, les croustilles, le chocolat, bref, tout ce que vous aimez et qui fait grossir; vous pouvez ingurgiter 5 000 calories en un rien de temps. Et ce n'est pas en niant avoir ingéré ces calories supplémentaires que vous les ferez disparaître.

Il faut les ajouter à votre consommation des autres jours de la semaine, et, de fait, votre corps, lui, les additionnera régulièrement à votre poids total. N'oubliez pas non plus que vous pouvez ingérer des *milliers* de calories par jour en «grignotant», sans même vous rendre compte que vous mangez, particulièrement si vous grignotez des aliments faibles en fibres, qui ne remplissent pas votre estomac.

L'obésité est toujours le *résultat* d'un problème. La cause réelle en est généralement cachée. Ce peut être:

1. L'ennui
2. L'excès de stress
3. Le mode de vie ou la pression exercée par les pairs
4. Une mauvaise image de soi (tristesse ou dépression)
5. Les quatre à la fois

1. L'ennui est la mère de l'obésité

Vous ennuyez-vous? Rangez-vous vos bocaux d'épice par ordre alphabétique, ou les outils de jardin et les jouets des enfants selon leur taille?

Si vous mangez beaucoup, demandez-vous si c'est à l'occasion d'une «grosse bouffe», parce que vous grignotez ou prenez de gros repas; repérez également quand, dans la journée ou la semaine, et prenez la résolution de faire quelque chose précisément à ce moment-là. Si c'est pendant la soirée que vous mangez parce que vous vous ennuyez, faites-vous un devoir de pratiquer un sport que vous aimez ou toute autre activité stimulante et régulière. Faire trois fois des exercices dans la cave, entre la fournaise et le chauffe-eau, ne donnera rien. Même si vous-même ne faites pas d'exercice, assister à des rencontres sportives en tant que spectateur peut constituer une diversion utile dans la mesure où, pendant ce temps-là, vous n'avez pas le nez dans votre réfrigérateur et où vous ne passez pas votre temps au comptoir à pommes de terre frites.

Si vous vous ennuyez, passez en revue tout votre mode de vie, et posez-vous des questions. Demandez-vous si vous tirez le meilleur de vos intérêts et vos capacités, si vous vous réalisez pleinement. Dans la négative, vous pouvez opter pour certains aménagements: inscrivez-vous à des cours de formation qui vous permettraient d'améliorer vos compétences. Les cours eux-mêmes peuvent être stimulants, comme peut l'être l'emploi à temps partiel que vous obtiendrez éventuellement.

L'ennui atteint tout le monde, sans considération de sexe ni d'âge. Chez l'enfant et chez l'adolescent, la solution à l'ennui semble très évidente aux parents: donner un objectif à chaque journée, à travers une certaine structure et une certaine discipline. Nous oublions que les mêmes principes s'appliquent à tous, tant aux adultes qu'aux personnes âgées. Lorsque l'ennui prend le dessus, l'obésité est un compagnon tout trouvé. De toute évidence, si le seul moment intéressant de votre journée est celui où vous mangez des biscuits accompagnés de boissons gazeuses, il vous faut revoir vos priorités et vous organiser afin de trouver ailleurs le bonheur qui manque à votre vie.

Certains patients me disent qu'ils choisissent de conserver le même emploi monotone jusqu'à la fin de leurs jours, parce qu'ils ne peuvent pas se permettre une diminution de revenus: ils tiennent à garder le train de vie auquel ils sont habitués. Cependant, s'ils calculaient exactement combien il leur faut pour vivre, ils découvriraient que moins d'argent leur suffirait, particulièrement s'ils éliminaient le stress que génère chez eux un emploi insatisfaisant. De plus, s'ils sacrifiaient un peu d'argent pour du bonheur, à longue échéance, leur productivité augmenterait.

Si, malgré tout, l'argent demeure la priorité numéro un, on peut trouver des revenus d'appoint; chaque membre de la famille évalue ses talents et essaie de les rentabiliser.

2. Le stress

Comme nous l'avons vu au chapitre 2, l'obésité est une réaction physiologique anormale au stress. Normalement, votre corps tend à réduire son poids en brûlant ses réserves de graisse et de sucre grâce à une augmentation de son métabolisme, déclenché par des décharges d'hormones thyroïdiennes plus importantes. Cependant, certaines personnes ont des besoins oraux irrépressibles venus de l'enfance, et chaque fois qu'elles sont soumises à un stress, elles paniquent et mangent quelque chose. Mon grand-père appelait ce phénomène le réflexe «coude-gueule»: lorsque vous pliez votre coude, votre bouche s'ouvre automatiquement. Bien souvent, ce besoin oral est satisfait en fumant ou en mangeant trop, souvent les deux. Les personnes qui en sont restées à la phase orale mastiquent souvent de la gomme, sucent des pastilles de menthe, rongent leurs ongles ou fument — parfois, elles font tout cela en même temps.

Certains patients me disent que, pendant qu'ils mangent en réaction au stress, ils ont conscience de se faire du tort. Ils savent qu'ils le regretteront quelques minutes après avoir fini, et souvent même ils le regrettent *pendant* qu'ils mangent. Mais ils ne «peuvent pas s'en empêcher». Plusieurs avouent manger vite, comme pour éviter, inconsciemment, de se faire «prendre sur le fait» par quiconque, y compris par eux-mêmes. Manger rapidement, bien sûr, ne fait que transformer l'estomac en un compacteur de déchets, et permet d'engouffrer une plus grande quantité de nourriture avant qu'il ne demande grâce.

Le goût et l'odeur des aliments exercent un attrait extraordinaire sur les sens d'un gourmet, et peuvent provoquer l'extase. Si votre journée a été particulièrement stressante, il peut être calmant de penser à l'extase dans laquelle ne saurait manquer de vous transporter votre plat préféré, mais autour duquel vous prendrez soin de bâtir un repas équilibré. Au contraire, en situation de stress, l'obèse mange plus qu'à satiété, afin de gratifier son palais, même aux dépens de son estomac.

3. Le mode de vie et la pression de l'entourage

Parce qu'il est intériorisé depuis la petite enfance, le mode de vie est souvent l'une des causes les plus difficiles à corriger. La pression sociale commence par les parents, bien intentionnés au demeurant, qui pensent qu'un enfant potelé est un enfant en bonne santé, qu'il faut finir tout ce qu'il y a dans son assiette, et qu'une récompense qui porte est une récompense que l'on mange, un bonbon, par exemple. Les enfants imitent également leurs parents qu'ils voient préparer et servir de la nourriture chaque fois qu'ils reçoivent — en général de la nourriture qui fait grossir. Dès le plus jeune âge, nourriture et émotions sont associées, d'où ces mauvaises habitudes alimentaires qui nous suivent pendant toute notre vie.

L'entourage commence parfois à jouer un rôle déterminant quand des enfants qui ont tendance à l'embonpoint se retrouvent en groupes, pour le jeu ou l'étude, et se découvrent des intérêts communs — gravitant essentiellement autour de la nourriture. Très souvent, ces enfants partagent aussi une certaine inactivité: ils peuvent paraître actifs, faire du bruit et s'exciter, mais ils font rarement assez d'exercices pour dépenser toute leur énergie. En Amérique du Nord, c'est vers la sixième année que se joue le destin d'un obèse, au moment de son entrée à l'école.

De façon idéale, chaque journée d'école devrait commencer par quarante minutes d'exercices physiques: les quinze premières seraient consacrées à des exercices d'étirement et de réchauffement, suivies de vingt minutes d'exercices intensifs, et de cinq minutes d'exercices plus calmes. La meilleure capacité de concentration et d'attention qui s'ensuivrait rattraperait facilement les quarante minutes prises sur la durée des cours. De plus, les enfants acquerraient des habitudes de vie qui annihileraient pratiquement la paresse à l'âge adulte.

Là encore, nous retrouvons l'importance de la pression du groupe. Si tous vos amis font du sport, vous en ferez probablement aussi. Mais s'ils se laissent tous aller à trop manger et à ne faire aucun exercice, vous finirez par céder et vous les imiterez.

Lorsque vous aurez fait de l'exercice une fois et que votre corps rayonnera de tous ses muscles, vous prendrez conscience de votre corps et aurez moins tendance à manger sans vous en rendre compte. De plus, l'endorphine générée par l'exercice a les propriétés d'un coupe-faim naturel.

4. Piètre image de soi

La cause la plus révélatrice et la plus courante de l'obésité est sans doute une mauvaise image de soi, ce que trahissent presque immanquablement certains indices non verbaux: telle la façon de s'habiller ou de se tenir. J'ai eu de longues discussions avec des centaines de gens qui correspondaient au type du gros «jovial et heureux». Sans aucune exception, ils présentent cette image pour cacher leur problème, qui repose souvent sur une piètre image de soi.

Au lieu d'être la risée de tous, ils adoptent la jovialité comme défense, ce qui est relativement efficace. De toute évidence, on pourrait en dire long sur la difficulté de garder son sens de l'humour dans ces conditions.

Lorsque vous vous réveillez le matin, placez-vous, vous et votre corps, en tête de la liste des choses à faire pendant la journée. Nombreux sont ceux qui ont une longue liste de choses à faire pour les autres, mais qui oublient leur corps à eux. Si vous avez une piètre image de vous-même, essayez une approche plus positive. Lorsque vous vous réveillez le matin, et que vous vous regardez dans le miroir, essayez de vous faire un clin d'oeil et de vous dire «Bonjour, mon beau» ou «Bonjour, ma belle». Le fait que la première image que vous avez de vous-même, le matin en vous réveillant, vous effraie ne doit pas vous détourner de votre objectif. Et n'oubliez pas de vous regarder à nouveau lorsque vous aurez fini de vous habiller et que vous serez prêt à affronter la journée!

Malgré tous les facteurs externes, on peut réformer une piètre image de soi. Vous arriverez à trouver un peu légères les excuses tirées de votre petite enfance. En tant qu'adulte, tout ce que vous souhaitez réaliser de rationnel est à votre portée, grâce à votre esprit d'initiative et d'entreprise, et — de façon plus importante encore — à votre dynamisme. Par contre, si vous établissez des objectifs trop faciles à atteindre, vous les atteindrez sans jamais développer ces

qualités primordiales. Si votre image de vous-même est bonne, tout vous est possible, dans les limites de vos compétences et de vos aptitudes.

Le matraquage publicitaire des médias met l'accent sur la beauté, la minceur, le luxe et la santé, notions qui ne correspondent en rien au vécu de bien des gens. Ne vous comparez pas à ces images de rêve, vous en sortiriez perdant et vous porteriez atteinte à l'opinion que vous avez de vous-même. Posez-vous une seule et unique question: est-ce que je suis à mon avantage? La réponse de mes patients obèses est toujours la même: ils n'essaient même pas.

Ils sont résignés. Ils semblent avoir baissé les bras et choisissent simplement de se considérer comme «gros», ne laissant que peu de place à l'amélioration.

«Que vous pensiez *pouvoir*, ou que vous pensiez *ne pas pouvoir* réussir, vous arriverez sûrement à prouver que vous avez *raison*.»

Henry Ford

149

Si vous pensez que vous êtes gros, vous serez gros. Si vous pensez que vous n'avez pas d'amis et que vous n'intéressez personne, vous arriverez probablement à faire la preuve que vous avez raison. Rappelez-vous une chose primordiale: les images négatives sont autodestructrices et se réalisent toujours. Malgré toutes les excuses que vous pouvez avancer, il n'y a aucune raison valable pour que vous ayez, à longue échéance, une mauvaise image de vous-même. L'excuse qui revient le plus souvent est sans conteste la suivante: mes parents me répètent depuis le berceau de ne pas viser trop haut, que je n'aurai jamais ni les compétences ni les capacités suffisantes.

Cela semble être plus souvent vrai chez les femmes, ce qui peut en partie expliquer que celles-ci sont plus souvent obèses que les hommes (mis à part toutes considérations hormonales). Dans les générations passées, on ne proposait aux filles que des emplois de second ordre, tandis que les choix de carrière plus intéressants étaient réservés aux garçons. Que cela ait été fait délibérement ou inconsciemment, le résultat est le même: la liste des emplois acceptables était très limitée, puisque de toute façon elles s'arrêteraient de travailler une fois mariées. Adultes, elles ont dû se contenter des emplois les moins considérés donnant ainsi raison à ceux qui les pensaient incapables de réussir.

À *vous de choisir*

On peut recourir à plusieurs techniques pour abaisser sa dose de stress, entre autres à l'autohypnose, à la pensée et à l'imagination positives. J'avais une patiente qui avait pris beaucoup de poids au cours de sa deuxième grossesse. Elle a réussi à perdre cet embonpoint en plaçant, sur la porte de

son réfrigérateur une photo prise il y a cinq ans, la représentant mince et en bikini. À droite de la photographie, elle avait écrit une courte note: «À *toi* de choisir. Tu peux choisir *ceci* (avec une flèche indiquant la photographie) ou *cela* (la flèche indiquait la poignée du réfrigérateur).»

Cette méthode lui donnait une image positive d'elle-même qui lui permettait de lutter contre l'envie de manger. Vous pouvez, vous aussi, mettre au point votre propre technique, qui donnera des résultats dans votre cas à vous.

«J'adore manger», l'excuse classique

L'obèse recourt très rapidement à cette excuse. Nous adorons tous manger; qui n'apprécie pas un bon plat? Le problème n'est pas là. Il survient lorsque le sens des proportions est faussé, et que l'attrait de la nourriture prend trop de place par rapport aux autres activités, ou à la vie elle-même. Même une obésité légère (de plus de 10 p. 100 de votre poids idéal) est néfaste. Si vous aimez vraiment manger, augmentez donc les années pendant lesquelles vous pourrez manger en vous astreignant à manger normalement.

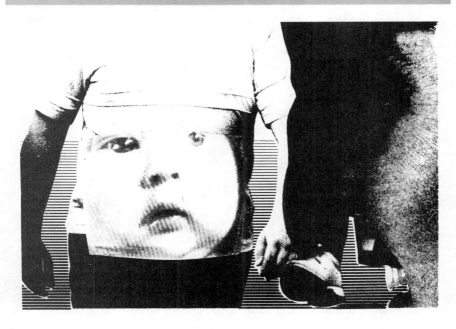

Les prescriptions alimentaires (pour connaître les plaisirs du stress):

Ne suivez pas de régime — mangez normalement

Régime; le mot lui-même exhale un relent de pénitence: c'est votre *péché* de gourmandise que vous expiez en suivant un *régime*. Le seul mot met en exergue tous les aspects négatifs de votre personnalité (manque de volonté et de discipline, grignotage en cachette mais refus catégorique de l'admettre ensuite, et j'en passe). Chaque fois que vous employez le mot *régime*, vous renforcez cette image négative de vous-même, qui devient donc réalité.

La première étape du traitement de l'obésité est un diagnostic des causes, comme nous l'avons vu dans le chapitre précédent. Après avoir identifié l'ennemi réel, vous pourrez vous employer à le vaincre.

J'aborde toujours l'obésité d'une façon très positive, c'est-à-dire que je mets en relief les aspects positifs de la personnalité du patient; il doit prendre conscience de ses atouts (humour, intelligence, amis et famille) et utiliser toute sa créativité pour en tirer le meilleur profit. L'une de mes patientes obèses, par exemple, a réussi à convaincre ses partenaires de bridge, obèses elles aussi, de suivre des cours de danse aérobique, ce qu'individuellement aucune n'aurait eu le courage d'entreprendre. Elles faisaient un excellent exercice et furent surprises de découvrir qu'elles n'avaient jamais autant ri. Mais mieux encore, elles n'avaient plus ces assiettes pleines de calories inutiles à portée de la main et ne grignotaient donc plus. Après quelque temps, elles se sentirent toutes bien mieux dans leur peau et eurent le courage d'améliorer leur mode de vie.

Quelques règles à suivre pour perdre du poids

1. Mangez des repas équilibrés, comprenant les six éléments essentiels, pendant tout le reste de votre vie (voir le chapitre 5). Il est en effet inutile de vous lancer à corps perdu dans un régime éclair, privilégiant certains des six éléments essentiels au détriment des autres.

2. Prenez la peine de manger dans une assiette. Prenez-en une petite, vous aurez l'illusion que votre repas la remplit; le même repas serait perdu sur une grande assiette.

3. Utilisez certaines stratégies de mise en valeur de collations *saines*; par exemple, au lieu de laisser vos carottes dans un sac en plastique au fond du tiroir à légumes, coupez-les en tranches et laissez-les trempez dans un bol d'eau que vous placez de façon à ne

voir que lui lorsque vous ouvrez le réfrigérateur.

4. Installez-vous à *table* pour manger. Ne mangez pas devant le réfrigérateur ou sur un coin de comptoir, ni devant votre télévision en pensant à autre chose. À table, vous ne faites qu'une chose à la fois: vous mangez votre repas.

5. Ne mangez jamais sans témoin; en fait, ne mangez pas en vous cachant. Avez-vous remarqué que les obèses ne mangent presque pas lorsqu'ils sont reçus à dîner? On voit les gens maigres manger de gros repas, mais c'est très certainement les seuls qu'ils prennent. Eux ne se cachent sûrement pas pour grignoter, comme le font les obèses.

6. Méfiez-vous des calories que vous buvez. Incluez-les dans le total des calories que vous consommez. Les calories contenues dans les liquides font tout autant grossir que celles contenues dans les solides.

7. Identifiez et corrigez votre *vrai* problème (voir le chapitre 6), celui qui cause votre obésité.

8. Récompensez-vous autrement que par de la nourriture, particulièrement lorsque vous êtes stressé.

9. N'allez jamais à l'épicerie l'estomac vide: vos sacs à provision seront pratiquement vides eux aussi lorsque vous arriverez chez vous, tellement vous aurez grignoté.

10. Commencez dès aujourd'hui. Inutile d'attendre le nouvel an pour prendre de bonnes résolutions, ou des douleurs thoraciques pour vous rendre compte que votre santé est chancelante. Le premier avertissement sérieux que votre corps vous donne est parfois le dernier. Consultez votre médecin pour des conseils plus approfondis.

Arrêtez le «graisse-o-stat»

Lorsque je fais une semaine de ski alpin, je peux ingérer jusqu'à quatre mille calories par jour (crêpes au petit déjeuner, barres de chocolat comme collation, gros déjeuner sur les pentes, suivi d'un gros dîner et même d'un souper vers minuit) sans gagner de poids, parce que je brûle tout. Par contre, si je mangeais autant en dehors des vacances, j'aurais rapidement la silhouette d'un moine replet: assis à mon bureau de consultation, je ne brûle que mille cinq cents calories par jour. Il est important d'arrêter le «graisse-o-stat» quand il le faut. Ce mécanisme régulateur semble être en panne chez la plupart des obèses.

Apprenez à recevoir sans faire d'excès

Les gens pensent généralement qu'ils doivent offrir de la nourriture en même temps que leur hospitalité. En fait, vous pouvez parfaitement recevoir ou rendre visite à quelqu'un, en après-midi ou en soirée, sans pour autant ingérer des centaines de calories sous forme de gâteaux, noix ou croustilles que personne ne mangerait en d'autres circonstances! Il est temps d'apprendre que l'on peut tenir une conversation sans manger. D'ailleurs, si la conversation perd de son attrait sans les calories, c'est probablement qu'elle n'est pas intéressante.

À la longue, la plupart des régimes amaigrissants échouent entre autres parce que, pour les suivre, il faut se procurer des ingrédients spéciaux — ou mettre toute la famille au régime. En outre, toute sortie au restaurant ou toute occasion spéciale — mariage ou invitation — vous est interdite. De plus, avec ces régimes, vous vous préoccupez sans arrêt de ce que vous allez manger.

Évidemment, si un régime amaigrissant vous va, suivez-le, dans la mesure où il est équilibré. Si par contre, après avoir suivi un régime pendant six mois ou un an, vous revenez à votre poids de départ, ou pire, vous le dépassez, il faudrait remettre ce régime en question. Pendant que vous suivez un régime amaigrissant, vous n'apprenez rien de nouveau ni sur vous-même, ni sur votre mode de vie, ni sur vos problèmes réels. À la fin du régime, vous retomberez donc dans vos vieilles habitudes et continuerez à mal choisir vos aliments et vos activités; au bout de quelque temps, vous ferez ce que vous avez toujours fait: vous achèterez un autre livre pour suivre un autre régime.

«Ce nest pas de ma faute! Je métabolise mal; c'est pour ça que je suis gros!» Faux. Vous mangez trop.

Lorsque vous êtes stressé, trouvez des solutions de rechange positives qui vous permettront de combattre l'image excitante de la nourriture. Si, en situation de stress, vous avez le choix entre le plaisir de manger et rien, de toute évidence, vous choisirez de manger.

Si, par contre, vous avez le choix entre manger et vous *maîtriser*, avec toute l'autogratification et toute la satisfaction que cela suppose, vous avez devant vous une solution alternative intéressante et vous trouverez très probablement la for-

ce de résister à la nourriture et à tous ses attraits. Plus vous serez conscient d'avoir la situation en main, plus l'attrait qu'exerce la nourriture s'estompera. Vous arriverez même à voir la nourriture avec une certaine condescendance comme le symbole de la gloutonnerie pure. Pour cela, il faut vous forger une image positive de vous-même, qui remplacera lors de stress celle de la nourriture. Vous devrez user d'imagination, de concentration et de persévérance. Mais vous y arriverez.

Maintenant que nous avons identifié les différentes raisons pour lesquelles vous mangez trop, voyons ce que nous devons faire. En premier lieu, évaluez le nombre de calories que vous ingérez par jour (voir l'appendice approprié à la fin du livre).

La plupart des obèses seraient horrifiés d'apprendre qu'ils consomment plusieurs milliers de calories par jour — en tenant compte de toutes leurs grosses bouffes (même s'ils n'en font qu'une ou deux fois par mois). Il faut noter cependant que le nombre de calories absorbées par le système digestif peut varier d'un sujet à l'autre, tout comme le nombre de calories brûlées pendant le sommeil.

Le métabolisme de base, c'est-à-dire le nombre de calories que vous brûlez au repos pendant une journée, simplement pour vous maintenir en vie (coeur et poumons), est d'environ huit cent calories. Les gens qui ont la chance d'avoir un métabolisme de base plus élevé peuvent brûler jusqu'à mille cinq cents calories par jour sans faire aucun exercice, et semblent pouvoir manger beaucoup sans prendre de poids. D'autres ont un métabolisme de base de cinq cents calories; il leur sera plus difficile de perdre du poids. Quel que soit votre métabolisme de base, il faut bien vous en accommoder; le seul moyen de l'augmenter est de faire plus d'exercice chaque jour.

La modération est de mise

Manger est un plaisir. Mangez donc lentement, et si vous faites la cuisine, appliquez-vous à soigner la présentation. Par contre, lorsque vous avez fini de manger, pensez à autre chose. C'est pourquoi je suggère de compter les calories pendant les quelques premières semaines, sans en faire une obsession. Dans la mesure où votre poids diminue d'au moins une livre par semaine, vous n'avez plus besoin de les compter. Cependant, si vous trouvez que vous avez atteint un plateau et que vous y demeurez pendant plus de deux semaines, ou que votre poids tend à remonter, il devient impératif de trouver où le bât blesse.

Dans ce cas-là, il serait approprié de recommencer à calculer le nombre de calories que vous ingérez. Ne supprimez en aucun cas tous vos mets préférés. Par exemple, si vous avez un faible pour la crème glacée, généralement bannie de tout régime, je vous suggère de vous en accorder un cornet à l'occasion. Bien sûr, prenez le petit format et faites-en une récompense, de préférence en même temps que tout le monde. Mais pas plus d'une fois par semaine! Par la suite, si vous devez regarder les autres en manger ou pire encore, si vous devez en servir aux autres membres de votre famille — vous ne serez pas aussi frustré.

La modération est un concept très important. Il vous faut apprendre la *normalité* en fait d'habitudes alimentaires et de mode de vie. Manger est un des plaisirs simples de la vie, et non le seul. Votre temps est trop précieux pour le consacrer uniquement à cet aspect-là de votre vie.

L'exercice —
quelques conseils

Lorsque vous consulterez le guide de la consommation de calories selon l'activité, il est important que vous chosissiez une activité intéressante autant que pratique. Je ne conseille pas à des obèses de courir sur l'asphalte, ce qui ne manquerait pas de provoquer des problèmes aux hanches, aux genoux, à la plante des pieds et à la colonne vertébrale. Par contre, faire de la bicyclette ne présenterait aucun danger, les pieds ne touchant pas le sol. La natation est également recommandée, puisque la gravité est alors déjouée. Même un hippopota-

me évolue gracieusement dans l'eau.

Lorsque vous faites de l'exercice, prenez les mêmes précautions qu'un athlète professionnel: commencez par des exercices de réchauffement et terminez par des exercices de détente. De bons muscles abdominaux vous permettront d'éviter la constipation et les maux de dos dus à une cambrure trop prononcée; ils sont essentiels à la réalisation d'activités aussi anodines que se lever le matin ainsi qu'à la pratique de tous les sports. (Voir le chapitre 5.) Cependant, *aucun* sport (à l'exception de la gymnastique et du culturisme) ne renforce vraiment les muscles abdominaux. C'est pourquoi les marathoniens, les skieurs de vitesse, les cyclistes, et les nageurs font tous les jours des exercices visant à les développer.

Méfiez-vous du jeûne

Après des mois, des années ou même des décennies de batailles toutes perdues contre le réfrigérateur, la plupart des obèses sont furieux contre eux-mêmes et terriblement frustrés. Ils veulent perdre du poids, mais sont pressés sans être réalistes; c'est alors qu'ils deviennent vulnérables aux charlatans de tous acabits qui leur promettent de perdre du poids du jour au lendemain. La méthode infaillible entre toutes semble être le jeûne.

D'un point de vue purement arithmétique, cela est impossible. Pour perdre une livre, vous devez en effet brûler la valeur de 3 500 calories. Si vous ingérez 500 calories de moins par jour, ou si vous augmentez votre consommation de calories en faisant plus d'exercice (voir l'appendice C), vous perdrez donc une livre par semaine. Ce rythme peut vous paraître lent, mais vous perdrez 52 livres en un an, ce qui est probablement plus que ce que vous avez perdu l'an dernier.

Si, à l'heure actuelle, vous ingérez 1 000 ou 2 000 calories de plus que vos besoins quotidiens et que vous décidez de limiter votre consommation de calories, votre perte de poids sera proportionnelle au nombre de calories que vous supprimez, toujours dans la proportion 1/500. Par exemple, si vous ingérez 1 000 calories de moins par jour, vous perdrez deux livres par semaine, 2 000 calories, quatre livres par semaine, et ainsi de suite.

Pendant la première semaine de régime, vous perdrez, et c'est encourageant, quelques livres de liquides, parce que les calories que vous n'ingérez pas étaient généralement accompagnées de sel (soit naturellement, soit ajouté à table). Nous avons déjà vu qu'un apport moins important de sel entraîne une perte de liquide (voir page 137).

Tableau 7,1

Consommation de calories selon l'activité (par heure)*

	Poids en livres		
	130	150	250
Danse aérobique	395	490	540
Base-ball	250	310	340
Basket-ball	670	830	910
Bicyclette	370	460	505
Quilles	240	300	325
Échecs	80	100	110

Repas	80	100	110
Jardinage	345	430	470
— bêchage	445	555	610
— gazon — tondeuse électrique	225	280	295
Travail ménager — général	180	225	235
Escalade	535	665	730
Canotage — 2 mph	270	335	365
Magasinage	150	185	205
Sommeil	60	75	80
Tennis	380	470	520
Marche — 3 mph	270	336	366
Lavage de l'automobile	205	255	280
Yoga	205	255	280

* *Utilisez les mêmes chiffres pour calculer les calories brûlées pendant des périodes inférieures à une heure. Par exemple, une personne de 150 livres qui joue aux quilles pendant une demi-heure brûle 150 calories.*

Tableau 7,2

Valeur calorique de vos aliments préférés

Pomme	75	Biscuits secs, 2	100
Gâteau aux pommes	300	Éclair	275
Gâteau aux pommes avec crème glacée	450	Pamplemousse, 1/2	30
		Flétan, portion moyenne	100
Bacon, 3 tranches	120	Jambon au four, 1 tranche	350
Banane	100	Hamburger, 4 oz	400
Haricots verts frais	10	Miel, 1 c. à soupe	65
Bière	150	Laitue, 1/4	10
Pain, 1 tranche	60	Martini	125
Beurre, 1 portion	50	Lait entier, 8 oz	170
Carottes, 1/2 tasse	25	Jus d'orange, 4 oz	55
Cajous, 1 oz	150	Arachides, 10	100
Fromage, 1 oz	100	Côtelette de porc, 1 moyenne	150
Poulet frit, 1 portion	300		
Café ou thé, sans crème ni sucre	0	Pomme de terre-frite, 30	465
		-bouillie, 1 moyenne	50

```
Steak, portion moyenne . . . 320
Saumon, 1 portion . . . . . . . 250
Sucre, 1 c. à thé . . . . . . . .  18
Soupe de tomates, 1 tasse . 100
Vinaigrette, 1 c. à soupe . . . 100
Vin, 1 verre . . . . . . . . . . . 100
```

La liste ci-dessus vous permet de constater que votre apport calorique quotidien varie à votre gré. Évitez les aliments riches en calories, et le succès est à vous. (Pour une liste plus détaillée des valeurs caloriques, voyez l'appendice C.)

Il est révoltant de constater qu'en lavant votre plancher pendant une heure (mal de dos garanti) votre dépense calorique ne compense même pas l'apport calorique d'un morceau de gâteau aux pommes. Pour «gagner» ou «mériter» un morceau de gâteau aux pommes avec crème glacée, il faudrait faire de la bicyclette pendant une heure. On comprend mieux maintenant que l'apport calorique dépasse facilement les dépenses énergétiques. D'autant plus que les calories adoptent parfois des formes très compactes: une livre de cajous représente environ 2 400 calories; dix arachides contiennent 100 calories (et honnêtement, personne ne se contente d'en manger dix!). Trois verres de boisson gazeuse vous apportent 300 calories sans diminuer en rien votre appétit.

La feuille de route

«Votre décompte quotidien»

1. Pesez-vous toujours à la même heure, une fois par semaine. Ne vous pesez pas plus souvent (sinon les trois ou quatre livres de fluctuation dues au poids des liquides dans le corps vous feront espérer ou désespérer à tort). Il est peut-être plus facile de vous faire peser chez le médecin, sans pour cela le voir chaque fois. Ma secrétaire se charge d'inscrire le poids de mes

patients obèses chaque semaine dans leur dossier; pour ma part, je ne les vois que s'ils ont pris du poids. Ce renforcement partiel fonctionne très bien.

2. Chaque jour, inscrivez le décompte des calories de *tout* ce que vous ingérez, y compris les boissons, les gommes à mâcher, les bonbons, etc. Vous aurez tout de suite plus de mal à grignoter sans y penser. Faites le décompte jusqu'à ce que vous ayez acquis des habitudes alimentaires normales. Calculez votre *moyenne* par jour; par exemple, il se peut que vous mangiez plus pendant les fins de semaines. Si vous êtes discipliné, vous mettrez quelques semaines à acquérir une certaine routine qui sera à revoir si vous reprenez du poids au lieu d'en perdre. Vous n'aurez pas à compter les calories que vous absorbez pour le restant de vos jours.

3. Inscrivez la durée des exercices actifs que vous faites chaque jour, cela dans un double but: vous pourrez calculer le nombre de calories que vous dépensez en gros chaque jour et il vous sera plus difficile d'oublier de les faire. Consultez votre médecin pour choisir le niveau et le type d'exercices qui ne présente aucun danger pour vous.

4. Montrez votre feuille de route à votre médecin, qui verra quels sont vos problèmes, particulièrement si vous n'arrivez pas à perdre de poids.

Il ne faudrait pas croire que l'obésité est moins dangereuse parce que les compagnies d'assurance ont récemment augmenté de quelques livres le poids sur lequel elles basent leurs calculs. Les taux de mortalité dus à l'obésité sont toujours aussi désastreux. À longue échéance, la moyenne est d'un décès par patient.

Tableau 7,3

Sortez vos calculatrices!

Première semaine	Total des calories ingérées (voir le tableau 7,2 ou l'appendice C)	Total des calories dépensées (voir le tableau 7,1)
Jour 1	☐ cal.	☐ cal.
Jour 2	☐ cal.	☐ cal.
Jour 3	☐ cal.	☐ cal.
Jour 4	☐ cal.	☐ cal.
Jour 5	☐ cal.	☐ cal.
Jour 6	☐ cal.	☐ cal.
Jour 7	☐ cal.	☐ cal.

Sous-total ☐ cal.   Sous-total ☐ cal.

÷ 7 = ☐ Apport calorique quotidien   ÷ 7 = ☐ Dépense calorique quotidienne

APPORT CALORIQUE

☐ − ☐ = ☐

Moyenne des calories ingérées par jour	Moyenne des calories dépensées par jour	Apport calorique moyen net par jour

VARIATION DE POIDS

☐ − ☐ = ☐

Poids au jour 1	Poids après une semaine	Variation de poids en une sem.

(Vous trouverez des feuilles supplémentaires à l'appendice C.)

Les deux seuls chiffres que vous devez calculer sont l'apport calorique moyen net par jour et votre variation de poids à la fin de chaque semaine.

Si votre poids baisse d'au moins une livre par semaine, ne modifiez pas votre apport calorique net. Sinon, vous avez deux possibilités: ou vous réduisez votre apport calorique, ou vous augmentez vos dépenses énergétiques. Certaines techniques peuvent vous aider à perdre du poids, entre autres, l'hypnose et l'acupuncture, qui ont toutes les deux des avantages, sur lesquels je ne m'attarderai pas ici. J'ai personnellement pratiqué l'acupuncture sur certains de mes patients et en ai envoyé d'autres chez un collègue hypnothérapeute, dans les deux cas avec succès.

Les techniques d'acupuncture sont particulièrement efficaces sur les patients qui souffrent d'«état de manque» lorsqu'ils modifient leurs habitudes alimentaires. Comme nous l'avons vu, l'acupuncture produit une décharge d'*endorphine* dont les effets sont comparables à ceux de la morphine. C'est peut-être la raison pour laquelle les morphinomanes ne sont jamais gros. L'endorphine donne un sentiment de bien-être, substitut satisfaisant au besoin de gratification recherchée dans la nourriture. Il est prouvé que ce traitement est très efficace chez les morphinomanes en état de manque, puisque l'endorphine agit sur les même points du cerveau que la morphine. L'acupuncture est également d'un grand secours pour éviter l'état de manque dans le traitement du tabagisme, de l'alcoolisme ou de l'obésité. Cependant, les déclencheurs psychologiques réflexes qui poussent les gens à manger sont légion; pensons par exemple au chien de Pavlov. Les gens qui succombent à ces déclencheurs seraient plus efficacement traités par l'hypnose. De toute évidence, la meilleure méthode serait que vous puissiez vous en sortir tout seul en suivant les indications ci-dessus. Mais, si vous avez besoin d'un coup de pouce, consultez votre médecin, car il peut être dangereux de recourir à des hypnothérapeutes non qualifiés ou à des

charlatans soi-disant acupuncteurs.

Les «coupe-faim» étaient des pilules efficaces, car elles contenaient des amphétamines, ou «stimulants». On a prescrit ces «excitants» à toute une génération de gros, même si les effets secondaires en étaient effroyables. Après une semaine d'activité effrénée pendant laquelle le patient passait l'aspirateur sur les plafonds, époussetait le toit de la maison à en oublier de dormir et de manger, il est sûr qu'il perdait quelques livres. Mais les risques de défaillances cardiaques et autres problèmes étaient énormes, et le patient n'apprenait *rien*; il reprenait rapidement ses vieilles habitudes alimentaires, et son poids remontait immanquablement.

Actuellement, les «coupe-faim» sont une version édulcorée, virtuellement inutile (à moins qu'on les prenne avec très peu de nourritu-

re), de ceux que l'on pouvait trouver autrefois. De plus, les utilisateurs de pilules se font souvent prendre au besoin de «calmants» ou de tranquillisants pour dormir, affaiblissant encore leur résistance au stress (voir le chapitre 3).

Aucune pilule ne vous aidera à lutter efficacement contre votre obésité!

Conclusion

Lorsque vous réduisez votre apport calorique, réorganisez votre vie de façon à avoir du plaisir sans penser à la nourriture, sinon pendant que vous faites la cuisine et que vous êtes à table. Si vous pensez à la nourriture plus souvent, c'est qu'il vous reste encore beaucoup à apprendre et que vous retomberez très probablement dans les schèmes qui ont engendré votre obésité.

N'oubliez pas que vous ne luttez pas contre l'obésité uniquement pour des raisons esthétiques. C'est l'un des points sur lesquels les groupes militant en faveur de la préservation des droits des obèses sont complètement dans l'erreur. Selon moi, aucune organisation ne devrait prôner le droit au suicide avec une fourchette, un couteau et des tonnes de nourriture. Ce genre d'organisation ne fait que déculpabiliser les obèses et leur fournit des raisons de ne pas modifier leur état.

Car il s'agit bien ici d'un danger réel pour votre santé. L'obésité raccourcit votre vie et le plaisir que vous en retirez. En étant obèse, vous mettez en jeu votre coeur, vos poumons, votre pancréas, vos articulations, votre colonne vertébrale, bref, votre corps entier. Vous vivrez plus longtemps si vous jugulez votre poids.

Mais plus encore, vous serez plus jeune d'esprit. Vous serez peut-être encore là, et suffisamment en forme, pour jouer avec vos petits-enfants, et avec les enfants de vos petits-enfants. Quel objectif enivrant! Il serait égoïste de priver vos héritiers de votre compagnie. Pourquoi les léser sous prétexte que vous vous laissez aller à grignoter? Dernier avantage, et non des moindres: si vous vivez plus longtemps, vous pourrez manger pendant plus longtemps, donc plus. Alors, *limitez-vous*!

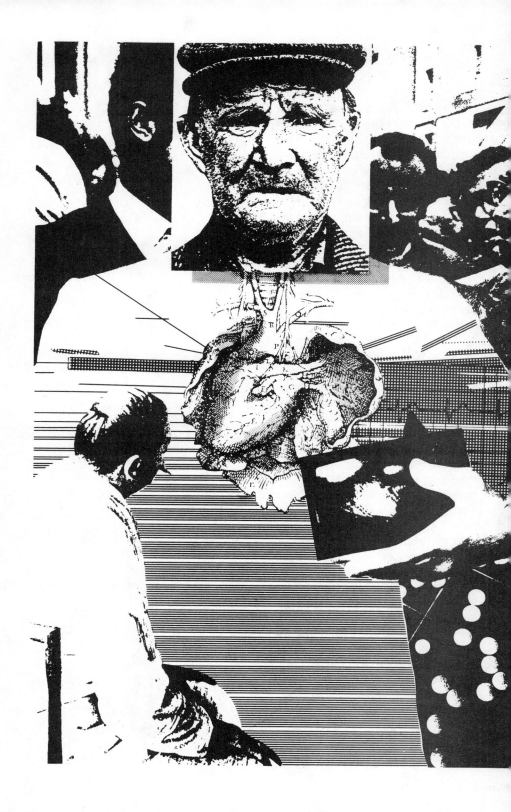

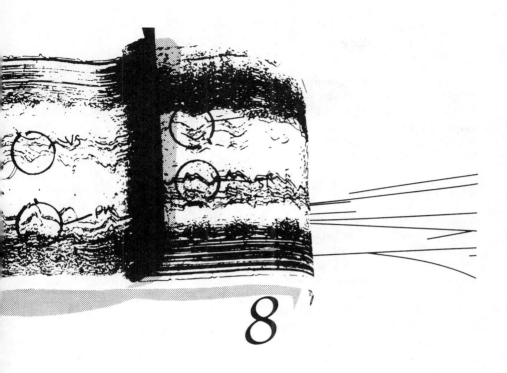

8

Le stress et votre coeur

Les maladies du coeur —
fatalisme ou prévention?

Les maladies du coeur font actuellement l'objet de vifs débats dans le milieu médical. Bien des choses sont encore mystérieuses. Cependant, certains facteurs sont clairement identifiés comme étant des risques, dont beaucoup dépendent de nous.

1. Le «*diabetes mellitus*»

Également appelé *diabète sucré*,

ou parfois encore *vieillissement prématuré*. Le diabète est associé aux défaillances cardiaques. Un bon diagnostic et une coopération étroite entre patient et médecin sont extrêmement importants.

2. L'*hypertension*

Généralement silencieuse — le malade ne présente aucun symptôme —, elle peut cependant entraîner un durcissement des artères et des défaillances cardiaques. Votre médecin vous demandera de prendre votre tension vous-même entre les consultations, afin d'enregistrer avec précision toute variation. Un diagnostic précoce et des visites fréquentes chez le médecin, doublés très souvent d'un traitement médicamenteux, éliminent en grande partie les risques dus à une tension élevée.

3. L'*hypercholestérolémie héréditaire*

Dans les cas sérieux, les hommes d'une même famille sont tous victimes d'une attaque cardiaque avant l'âge de soixante ans. Même s'il s'agit d'une maladie relativement rare, il est recommandé de faire vérifier votre taux de cholestérol par votre médecin traitant, à plus forte raison si les hommes de votre famille ont tous eu des défaillances cardiaques relativement jeunes. J'ai eu dans ma clientèle des

familles dont les hommes mouraient tous à quarante et un ou quarante-deux ans, parce que des dépôts de cholestérol bloquaient leurs artères coronaires. Un diagnostic précoce est évidemment primordial: les meilleurs résultats sont enregistrés lorsqu'on diagnostique ce problème chez un patient de dix ans et que des mesures appropriées visant à diminuer le cholestérol sont appliquées. Dans ces cas-là il est vital de supprimer toute ingestion de cholestérol (voir le chapitre 5).

4. L'*hyperthyroïdie*

Très rare de nos jours, fort heureusement.

5. Le *tabagisme*

L'usage du tabac entraîne une constriction instantanée des vaisseaux et des artères coronaires. Les conséquences multiples et variées de cette terrible habitude sur votre coeur et sur le reste de votre corps sont décrites plus en détail au chapitre 3.

6. La *paresse*

Faire de l'exercice régulièrement ne constitue en rien une garantie contre les maladies cardiaques; cependant, certaines recherches tendent à en prouver l'utilité. La paresse intermittente est terriblement néfaste, et parfois même mortelle: vous n'êtes plus en forme et vous vous imposez des sprints en pratiquant occasionnellement des sports de raquette ou le base-ball. Il est essentiel de prendre l'avis préalable de votre médecin ou d'un professionnel du conditionnement physique.

7. Le comportement du type A

Nous en discuterons dans les prochaines pages.

La controverse au sujet du cholestérol: de quoi vous faire réfléchir

Le cholestérol fait actuellement l'objet d'une âpre controverse, que nous avons déjà abordée au chapitre 5. S'il est vrai qu'un apport important de cholestérol ne fait pas nécessairement augmenter les risques de maladies cardiaques, on cite fréquemment le contre-exemple suivant: on a comparé les Irlandais habitant Boston à leurs compatriotes habitant la mère patrie. Les premiers, contrairement aux seconds, consomment beaucoup de cholestérol, et remportent également la triste palme des maladies cardiaques.

D'autres groupes, comme les Indiens Navajos et les Masaï d'Afrique, ont également un régime alimentaire très riche en cholestérol, mais ne présentent que très rarement des maladies coronariennes. Chez les Américains, le taux de maladies coronariennes est cinq fois plus élevé aujourd'hui qu'il l'était en 1910, bien que la quantité de cholestérol ingérée n'ait pas augmenté. Il est donc évident que d'autres facteurs entrent en jeu, qui font actuellement l'objet de recherches intenses. Citons par exemple l'apport en fibres du régime alimentaire, le comportement de type A, l'exercice, et, de façon plus importante, la résistance au stress (voir les chapitres 3 et 4).

Le comportement de type A: le stress auto-induit

Une meilleure compréhension du comportement de type A, décrit d'abord par le D{^r} Meyer Friedman dans son livre Le comportement de type A et votre coeur, a permis de déceler certains points communs entre les patients victimes de défaillances cardiaques. Très souvent, ces patients présentent un complexe «action-émotion», qui consiste essentiellement en une «course contre la montre» effrénée. Ces sujets regardent constamment leur montre et lui livrent une lutte sans merci. Ils sont excessivement compétitifs et deviennent facilement hostiles.

Le sujet de type A est agressif, il lutte toujours pour en faire plus en moins de temps, même au risque de blesser les autres. Il peut devenir hostile si on le menace. Bien que ces sujets soient parfois très durs, il est à remarquer que, la plupart du temps, ce sont des gens dont les activités sont reconnues socialement et pécuniairement.

Plus d'un mâle sur deux, et de plus en plus de femmes sur le marché du travail, présentent un comportement de type A. Lorsqu'on leur fait passer un test simple en temps limité — soustraire de 1000 des séries de 13 —, les sujets de type A obtiennent les mêmes résul-tats que les sujets de type B, qui présentent les traits opposés. La différence réside dans le fait que les sujets du type A traitent le test comme s'il s'agissait d'une urgence. Pendant qu'ils répondent au test, le volume de sang dirigé vers les muscles est trois fois plus important que la normale; le sang présente un taux de cortisol multiplié par quarante et un taux d'adrénaline multiplié par quatre. Comme nous l'avons vu dans le chapitre 2, cela signifie que toutes les réactions au stress sont activées, y compris l'élévation du taux de cholestérol et l'accélération du rythme cardiaque, entre autres.

Beaucoup d'entreprises importantes ont mis sur pied des programmes anti-stress, réservés généralement aux seuls cadres supérieurs, alors que ce sont les cadres intermédiaires qui supportent souvent le plus de stress (beaucoup de responsabilités, mais très peu de contrôle sur la situation). Les entreprises devraient, autant que faire se peut, offrir ces programmes de diminution du stress à tous leurs employés qui en ressentent le besoin. Elles y gagneraient, puisque la baisse du taux d'absentéisme et du taux de maladie ainsi que l'augmentation de la productivité offrent des avantages financiers insoupçonnés: les revenus d'un dollar investi en médecine préventive peuvent atteindre cinq dollars.

Avant la Seconde Guerre mondiale, les Américaines blanches présentaient rarement un comportement de type A, essentiellement parce qu'elles n'étaient pas exposées au monde du travail autant que les hommes ou que les autres femmes. La situation n'est certainement plus la même aujourd'hui, puisque la vie économique moderne a subi des changements profonds.

Une étude s'échelonnant sur dix ans a révélé que le taux de maladies coronariennes est *trois fois* plus élevé chez les sujets du type A. Il est prouvé que le comportement de type A est un facteur prépondérant dans la prévision des troubles cardiaques, et passe avant les antécédents familiaux, les taux de cholestérol et le tabagisme.

Des études ont été menées sur des rats afin de mieux comprendre les effets du comportement de type A sur la santé. En pratiquant une lésion sur l'hypothalamus, on provoque artificiellement un comportement de type A chez certains sujets. Ces rats tolèrent la présence de rats de type B dans leur cage, parce qu'ils ne ressentent aucune concurrence. Mais lorsqu'on place deux rats de type A dans la même cage, ils se battent à mort. Cela peut arriver chez l'homme, et se vérifie très souvent dans des luttes entre voisins ou compagnons de travail, ou même dans un couple, avec les conséquences désastreuses que l'on peut imaginer.

Faisant partie intégrale de la réaction générale et réflexe des rats de type A face aux stress pendant la «phase d'alarme» (voir l'illustration 2,3 à la page 67), on a noté que le taux de cholestérol dans le sang augmente de façon surprenante, sans qu'il y ait aucun rapport avec la quantité de cholestérol ingéré. La question du cholestérol est traitée plus en détail aux pages 122-124.

Détail intéressant: ce ne sont pas des chercheurs qui ont établi le premier lien entre le comportement de type A et les maladies cardiaques, mais le tapissier du Dr Friedman. Un jour qu'il était au bureau du cardiologue pour y prendre les fauteuils qu'il devait recouvrir, il demanda quel type de patients fréquentaient le cabinet de consultation, parce qu'il avait remarqué que les fauteuils n'étaient usés que sur l'avant du siège. Personne ne s'enfonçait confortablement dans ces fauteuils pour se détendre. Il est typique des sujets du type A de ne s'asseoir que sur «le bout des fesses».

Quelques caractéristiques du Type A

La course contre la montre

Il s'impose des échéances; il n'est ni adaptable ni créatif; le sujet s'appuie sur des idées dépassées, qui ont vu le jour alors qu'il était plus efficace. Il est inefficace, parce qu'inflexible, face à des problèmes nouveaux. (Il devrait s'inspirer du type B pour arriver à réfléchir et à utiliser sa créativité.)

Les chiffres

Dès l'enfance, il a du plaisir à acquérir des objets et à les compter: des billes, des cartes de baseball, des petites amies. La maturité aurait dû modérer ce trait, mais tel n'est souvent pas le cas.

Être le meilleur

Par insécurité. Perpétuellement concentré sur le score, il n'apprécie pas le golf pour le paysage et l'air frais. Malheur aux gens de type A s'ils se mettent à parier!

Insécurité

Il recherche l'approbation de son patron plus que celle de ses collègues de travail. Le sujet de type A ne peut être un simple homme de science, par exemple. Il doit être une superstar, publier une multitude d'articles, etc.

Hostilité et agressivité

Il a besoin de compétitivité: s'il a parfois un certain humour, il rit des autres plutôt que de lui-même.

Comparaison entre les comportements de type A et B

Comportement de type A

1. Élocution vive et agressive; la fin de la phrase est prononcée plus rapidement.

2. Il s'ennuie facilement; il fait semblant d'écouter, mais son esprit est ailleurs.

3. Il mange, marche ou parle toujours rapidement.

4. Il est impatient avec ceux qui lambinent; par exemple, il dit «oui, oui» pour accélérer le débit de quelqu'un ou, pire encore, il termine ses phrases.

5. Polyphasique: par exemple, il mange, se rase et lit en même temps (il doit faire un effort d'attention pour ne pas s'habiller en prenant sa douche).

6. Égoïste. Il prend uniquement part à des conversations portant sur des sujets qui l'intéressent; il essaie de «prendre le crachoir» ou il se désintéresse de la conversation. (Après avoir passé beaucoup de temps à parler de lui-même pendant une émission de télévision, un écrivain au comportement de type A se tourne vers l'animateur et lui dit: «Assez parlé de moi, parlons de vous. Comment avez-vous trouvé mon livre?»)

7. Il se sent coupable lorsqu'il se détend.

8. Oublieux. Il n'accorde aucune importance aux détails. Il égare souvent ses clés, ses lunettes de soleil, ses stylos.

9. Il se concentre sur ce qu'il est bon d'*avoir* et non d'*être*.

10. Il est très compétitif en présence d'un autre sujet de type A. Situation explosive, particulièrement dans un couple.

11. Signes physiques: plein d'assurance, tendu, penché en avant, ses épaules ne touchent pas souvent le dossier du fauteuil dans lequel il est assis (son dos non plus, d'ailleurs).

12. Il croit que vitesse est mère de succès, donc il se dépêche tout le temps. Pour lui, la seule façon de passer un écueil, c'est d'*accélérer*.

13. Il mesure le succès avec des chiffres; le score est plus important que le plaisir du jeu.

Comportement de type B

1. Aucun des traits de caractère ci-dessus ne s'applique à lui.

2. Il ne se sent que rarement pressé par le temps, tout en étant aussi ambitieux.

3. Très facile à vivre; aucune hostilité.

4. Il joue pour s'amuser, et non pour gagner.

5. Il ne se sent pas coupable de se détendre; il ne travaille pas dans l'agitation; à longue échéance, il en accomplit autant que le sujet de type A.

6. Il est souvent plus efficace: un de mes amis présentant un comportement de type A regardait un vieux monsieur qui avait coupé du bois et empilait soigneusement ses bûches contre l'un des murs de son garage. La lenteur du vieux monsieur exaspérait tellement mon ami que, n'y tenant plus, il se précipite dehors, prend cinq bûches en même temps, et commence à les empiler frénétiquement. Au bout de vingt minutes, épuisé, il dut s'arrêter: son dos était endolori, son tas de bois ne tenait pas debout, et n'arrivait pas à la moitié de celui du vieux monsieur. Les gens de type B

gagnent souvent parce qu'ils sont persévérants et économisent leurs mouvements. (C'est le sens de la fable *Le Lièvre et la tortue*.)

Le comportement de type A et la «troisième vague»

Le volume d'Alvin Toffler intitulé «*La troisième vague*» est intéressant, parce qu'on y trouve les racines du comportement de type A. Selon l'auteur, la première vague de civilisation est agricole; vivant d'abord de cueillette, les peuplades s'installent ensuite sur les terres arables. La seconde vague est née de la révolution industrielle, pendant laquelle l'accent est mis sur la production de masse, dans des usines centralisées dans les grandes villes. C'est également pendant cette période qu'est née la notion de cadence sur les chaînes de montage - et d'échéance. Avec le marché de la libre entreprise, il faut en faire de plus en plus vite, ce qui explique la montée en flèche des comportements de type A.

Le prestige allait de pair avec l'acquisition de biens *matériels*. Dès le début du XIXᵉ siècle, les Américains font preuve d'un comportement de type A tant au travail qu'à la maison: personne n'hésite à déraciner sa famille pour trouver un meilleur emploi. En vacances, ils deviennent les «affreux Américains» (maintenant ce n'est plus l'apanage d'un seul peuple). En voyage, les vacanciers du type A visitent trop de pays, trop de villes ou trop de parents en trop peu de temps. Ils veulent épater la galerie par des chiffres: le nombre de villes qu'ils ont visitées au cours de leur voyage en Europe, ou le nombre de milles parcourus sans s'arrêter, ou la vitesse à laquelle ils poussent leur voiture.

Plus l'importance accordée à l'ancien système de classes diminuait, plus la vie après la révolution industrielle devenait, dans une large mesure, une ruée vers l'or, dans laquelle chacun pouvait se bâtir une fortune à condition d'aller vite.

La seconde vague a certainement donné aux Nord-Américains le niveau de vie le plus élevé du monde, faisant mordre la poussière (littéralement) aux pays qui en étaient encore à la première vague.

Nous entrons maintenant dans la troisième vague, autrement dit la révolution technologique. Les gens ne gagnent plus leur vie dans des usines centralisées. Tout laisse à penser que les petites industries «familiales» vont renaître; rien n'empêche un programmeur, par exemple, de travailler chez lui. Une fois son travail fini, il le transmet par satellite à une banque centrale de données.

Cette troisième vague apporte avec elle de nouveaux facteurs de stress. Cependant, le phénomène d'urbanisation intense des deux derniers siècles semble s'inverser, ce qui, le cas échéant, pourrait permettre aux gens de retrouver une certaine maîtrise de leur vie — élément souvent absent dans les zones surpeuplées.

Avec l'avènement de la révolution industrielle et la multiplication des comportements de type A, de simples qu'ils étaient, les agents stressants auxquels chacun devait faire face pendant sa vie sont devenus complexes. Personne n'était plus attaqué par un animal sauvage; par contre, la menace venait d'agents stressants complexes: pollution insidieuse par le bruit, échéances. Nous sommes aujourd'hui dans la troisième vague, et les agents stressants vont très probablement devenir de plus en plus sournois. Il est donc plus important que jamais d'être en aussi bonne condition physique que possible, de miser sur nos capacités et de faire les choix judicieux qui nous permettront de nous bâtir une meilleure résistance au stress.

L'objectif premier étant de survivre, la vie rurale ne fait pas appel à la compétitivité excessive qui caractérise le comportement de type A. Au contraire, il semble que chaque génération des temps modernes se sente obligée de faire mieux que la précédente, d'avoir un meilleur niveau de vie que ses parents. Bien que ce trait de caractère ne soit pas héréditaire, les parents de type A le cultivent certainement, en accordant une importance excessive à l'acquisition de biens *matériels.*

Un enfant ne peut faire plaisir à ses parents de type A qu'en ayant de meilleures notes en classe, en améliorant son temps à la course ou son classement en compétition. En d'autres termes, pour eux, «l'important est de gagner». Mais, tout comme ceux qui souffrent du syndrome du «plus gros bateau» trouveront toujours leur maître, les enfants peuvent se lasser de cette façon d'envisager la vie et décider

d'établir leurs règles propres. Dans mon cabinet de consultation, j'ai remarqué que les parents de type A vivent de graves problèmes avec leurs adolescents.

« Riche ou pauvre...»

La compétitivité excessive est souvent pire dans les classes moyennes, qui semblent toujours devoir «faire leurs preuves». Leur sécurité financière confère en effet aux riches un avantage potentiel. Ce que les riches jugent comme une attitude de *«nouveau riche»* n'est souvent que le schème du comportement de type A. En Grande-Bretagne, les «vieux riches» ont tout naturellement un comportement de type B, puisqu'ils n'ont jamais dû participer personnellement à la course contre la montre.

Les riches ne participent jamais à la même «course au trésor» que le reste de la population, essentiellement parce qu'ils ont déjà amassé leur trésor. La plupart des présidents directeurs généraux des grandes entreprises (y compris le président des États-Unis, Ronald Reagan) ont un comportement de type B; les meilleurs sont même assez rusés pour engager des employés de type A, qui font le succès de leur entreprise: il suffit de bien les surveiller et de les maintenir au poste qui leur fera atteindre leur niveau maximal de stress, afin d'en obtenir le rendement maximal. (Voir l'illustration page 119.)

De toute évidence, être riche présente de nombreux inconvénients. Le riche travaille fort sans aucune gratification; toute initiative lui est généralement impossible. Mentionnons en outre l'ennui, la difficulté de trouver du personnel valable, les blessures de polo, l'obligation d'apprendre une autre langue pour se disputer sans que les domestiques comprennent, sans parler des maux de dos, le siège arrière de la limousine avec chauffeur n'étant pas inclinable.

Quelques trucs pour passer du type **A** au type **B**

1. Rendez-vous à l'évidence: votre situation financière ne souffrira en rien si vous devenez un exemplaire du type B. N'associez pas ambition et enthousiasme au seul type A. Si vous avez eu du succès jusqu'à présent, c'est probablement *malgré* votre comportement de type A. Les gens qui ont un comportement de type B font leur travail aussi bien que vous. Ils ont autant d'ambition, mais réaliser un objectif ne les rend pas frénétiques.

2. Apprenez à rire, et surtout de vous-même. Pour les sujets de type A, l'humour n'est qu'une litanie d'anecdotes et de blagues faites aux dépens des autres.

3. Élargissez vos horizons à de nouvelles activités, de préférence celles qui ne requièrent pas l'usage d'un chronomètre. Si vous avez une bibliothèque chez vous, essayez de lire certains livres, ne vous contentez pas de les acquérir au kilo. Si vous achetez une bicyclette, *inutile* d'acheter le modèle équipé d'un indicateur de vitesse et d'un odomètre électronique; prenez simplement du *plaisir* à en faire.

4. Organisez-vous. Laissez les autres assumer les tâches accessoires: déléguez, c'est bon pour votre coeur! *Pouvoir* faire une chose ne si-

gnifie pas nécessairement *devoir* la faire. Au travail comme à la maison, pensez aux tâches que vous pouvez facilement confier à quelqu'un, pour ne vous consacrer qu'aux plus importantes. En embauchant un étudiant pour entretenir le jardin, vous auriez l'esprit plus tranquille et plus de temps à passer avec votre famille.

5. Évitez, autant que faire se peut, les sujets de type A. Si vous ne pouvez les éviter, ou si vous en avez épousé un, résignez-vous. Essayez de mettre un frein à votre compétitivité. Visez à *compléter* et à *aider* votre conjoint, plutôt qu'à l'*écraser*.

6. Concentrez-vous sur ce qu'il est bon d'*être* et non d'*avoir*.

7. Inventez des exercices qui ralentissent votre rythme; par exemple, si vous grillez un feu orange, faites le tour du pâté de maison, revenez sur vos pas et repassez le feu de signalisation comme vous le devez. Discutez avec quelqu'un qui parle lentement sans l'interrompre ni finir ses phrases. Dans une file qui avance au ralenti, laissez passer quelques voitures, vous n'en mourrez pas!

8. Suivez pendant une demi-heure un chauffeur à chapeau, sans klaxonner ni le doubler.

9. Au bureau de poste, regardez quelqu'un faire quelque chose, *n'importe quoi*, sans vociférer pour qu'il aille plus vite.

10. Regardez une émission portant sur les questions sociales et l'administration des banlieues pendant les années 80 sans changer de chaîne.

11. Calmement assis, écoutez tout un exposé portant sur l'importance de l'analyse psychologique freudienne, destiné à des étudiants de première année.

12. Assistez *sans parler* à des comités de bénévoles.

Nous devons tous nous colleter à une forte dose de stress chaque jour; *point* n'est besoin d'y rajouter un stress que *vous* créez vous-même. Faites donc tout ce qui est en votre pouvoir pour éliminer le comportement de type A de votre vie.

Le stress auto-induit: Journée d'un sujet présentant un comportement de type A

Prévisions de la journée

Journée réelle

7 h 05	Lever en forme; choix des vêtements.	Pas entendu le réveil; mis des souliers bruns avec un costume bleu.
8 h 00	Rencontre avec Glenn pendant une heure au sujet de la campagne publicitaire.	Coincé dans la circulation; arrivé avec vingt minutes de retard.
9 h 30	Rencontre avec Jim à l'autre bout de la ville, au sujet de la fin de l'année.	Faux départ — revenu chez Glenn parce qu'oublié mallette. Coincé derrière un *traînard* qui roulait sur la voie de gauche... En retard à cause de lui.
10 h 00	Retour au bureau. Appels téléphoniques pendant une heure. Répondre à seize messages importants laissés depuis hier.	Deux premiers appels, grande surprise, problèmes longs à résoudre. Remise de quatorze appels importants à demain ou après-demain.
11 h 05	Aller chercher les directeurs à l'aéroport. Pas de retard!	Dépassé tout le monde pour arriver à temps. Garé la voiture dans un endroit interdit. L'avion avait du retard.
11 h 30	Les ramener pour la réunion du conseil. Tenue soignée!	Perdu une demi-heure à l'aéroport à attendre, vingt minutes à sortir la voiture de la fourrière. Appelé le bureau pour avertir du retard. Huit nouveaux appels urgents.

12 h 00 Déjeuner et tennis avec client important contre deux employés d'une entreprise concurrente.

Construction! Arrivé en retard, manqué le déjeuner. Commencé la partie avec deux doubles fautes consécutives. Jeté ma raquette contre le mur, ramassé mes balles et suis parti.

De toute évidence, l'un des problèmes de cette personne est de sous-estimer le temps nécessaire à réaliser les activités prévues. Bien utilisé, un système de gestion du temps et des priorités peut devenir un appui très valable pour maîtriser son stress. Ce système doit comprendre les 168 heures d'une semaine; vous n'y inclurez pas uniquement vos rendez-vous d'affaires, mais tout *spécialement* vos temps libres. La discipline demandée pour utiliser ce système rapporte énormément: efficacité, qualité, temps gagné, satisfaction de la chose accomplie (chaque fois que vous barrez une tâche réalisée), meilleure image de soi. De plus, vous ne passerez plus de nuits blanches à ressasser les détails que vous aurez négligés ou omis pendant la journée.

Conclusion

Ne laissez pas votre comportement de type A rétrécir vos artères coronaires, miner votre vie de famille, dilapider vos profits et raccourcir le temps que vous passerez sur cette terre. Arrêtez-vous, réfléchissez et réévaluez vos priorités.

Vous n'auriez rien à perdre mais tout à gagner à vous joindre à «l'équipe du type B». Vous devez pour cela reconnaître, en premier lieu, que vos ambitions, vos objectifs et votre mode de vie ne pourront que *bénéficier* de ce changement, et que ce n'est pas à l'énergie frénétique et nerveuse de votre comportement de type A que vous devez votre succès. Par-dessus le marché, en changeant pour appartenir au type B, vous renforcez vos quadrants *santé, vie professionnelle, argent* et *vie personnelle*. Comme nous le verrons au chapitre suivant, on tient compte des quatre quadrants pour prédire une vie longue, prospère et en bonne santé. Tournez la page.

9
Les secrets d'une vie longue et prospère

J'ai demandé à des centaines de gens en pleine santé, nés au siècle dernier, les secrets de leur vie longue et prospère. Bien que diverses, les réponses m'ont permis de tirer un schéma général.

Toutes les personnes qui avaient *plus* de quatre-vingt-dix ans et étaient en forme enregistraient des *«succès»* dans les quatre quadrants de leur vie:

SANTÉ   ARGENT

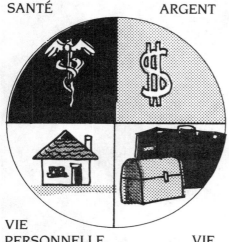

VIE
PERSONNELLE   VIE
              PROFESSIONNELLE

Par succès, j'entends la recherche de la perfection dans les *quatre quadrants*. Tout échec dans l'*un* quelconque des quadrants raccourcirait de façon prévisible votre vie et votre productivité.

1. Argent

Vous avez des compétences professionnelles monnayables, assez d'argent pour atteindre vos objectifs, et une certaine sécurité en cas de maladie, de récession ou de perte d'emploi. N*ul* besoin d'être millionnaire, mais simplement de vivre selon vos moyens.

2. Vie personnelle

Vous avez une base stable de vrais amis (pas nécessairement beaucoup) et une vie familiale stable, en particulier, un ménage — ou toute relation similaire — heureux.

3. Santé

Vous êtes en bonne santé (tant physique que mentale), non seulement selon vous, mais selon votre médecin.

Vous faites les choix judicieux quant à votre style de vie et à vos réactions au stress (voir le chapitre 4).

4. Vie professionnelle (études, si vous êtes encore étudiant)

Vous avez un bon rendement, une grande intégrité et attirez le respect de vos compagnons de travail (ou camarades de classe).

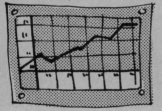

Le succès: clé de la longévité

Comme l'indique l'illustration 9,1, votre succès comporte quatre secteurs égaux. Pour tirer le meilleur parti de la vie et avoir une longévité maximale, vous devez accorder autant d'importance à chacun de ces quatre quadrants. Le succès dans un seul des quatre quadrants, même financier ou professionnel,

constitue en fait un échec. Exemple: un homme de science de génie ou un premier de classe.

Visez toujours la perfection dans les quatre quadrants; n'en négligez aucun. Vous trouverez plus loin quelques études de cas réels illustrant des succès partiels. (S pour succès; E pour échec.) Remarquez qu'un seul E sur quatre entraîne un échec net, et une chute prévisible de la qualité de vie autant que de sa durée.

Howard Hugues vers la fin de sa vie

Évaluation

Argent — S

Succès digne d'un conte de fées; richesse incommensurable, difficile à imaginer.

187

Vie personnelle — E

Il a fini sa vie seul, sans foyer stable. Devait payer pour qu'on l'aime et qu'on prenne soin de lui.

Santé — E

État général déplorable. Physiquement, c'était une loque, ratatiné, frêle et tellement faible qu'on devait le porter. Mentalement, on peut dire sans trahir la vérité que, vers la fin de sa vie, il avait perdu la boule, ce que viennent confirmer son obsession d'une vie totalement recluse et sa phobie des microbes.

Vie professionnelle — E

On était bien forcé de le respecter pour son succès dans le quadrant financier, mais personne ne l'admirait. Il était très dur en affaires et ne s'est jamais préoccupé de nouer des amitiés durables.

Score final: 3 E

Un succès sur quatre donne un échec net et permet de prévoir une diminution de la qualité de vie et de sa durée.

Marilyn Monroe vers la fin de sa vie

Évaluation

Argent — S

Vie personnelle — E

Mélodrame perpétuel; quête de stabilité et d'amour.

Santé — E

Santé — physique autant que mentale — désastreuse: narcomane et mentalement instable.

Vie professionnelle — S

Respectée de ses camarades comédiens et adulée par le public; en fait, succès extraordinaire.

Score final — 2 E

Succès dans deux quadrants sur quatre; le résultat net permet encore de prévoir une diminution de la qualité de vie et de sa durée.

Gugus, le bon père de famille

Profil

Extraordinaire avec les jeunes enfants, mais pas très compétitif. Depuis la fermeture de l'usine dans laquelle il travaillait, préfère rester à la maison et vivre de ses prestations de Bien-Être social. Sa tendre épouse commence, elle aussi, à récriminer, parce qu'il est toujours à la maison et que, financièrement, la situation est difficile. Après avoir fait quelques demandes d'emploi sans y croire vraiment, il se laisse envahir par l'ennui. Son image de lui-même en souffre, tout autant que l'estime que lui porte sa famille.

Évaluation

Argent — E

Vie personnelle — S

Un gentil garçon; les enfants et les voisins l'apprécient beaucoup; personnalité chaleureuse et aimante.

Santé — E

Le manque de stimulation mentale et l'*absence* de stress en situation de travail commencent à ramollir son intelligence. Son efficacité diminue. Il lui faut maintenant presque toute une journée pour lire le programme de télévision. Il prend du poids, fume, boit et fait de moins en moins d'exercice.

Vie professionnelle — E

Quelle profession?

Score final — 3 E

Échec évident, mariage vraisemblablement en danger, et très probable diminution de la qualité de vie et de sa durée.

«Monsieur Muscle»

Profil

Passe cinq heures par jour à faire des poids et haltères et à avaler des acides aminés. Bien que le culturisme soit un bon exercice en soi, lui en fait trop; il est fanatique d'exercice. Sa vie sociale se résume à s'admirer dès qu'il passe devant un miroir. Physiquement, c'est un spécimen rare; mais sa vie sociale et professionnelle est inexistante.

Évaluation

Argent — E

Il n'a pas le temps de faire des heures supplémentaires, ni de consacrer quelques soirées à se perfectionner pour avancer professionnellement. Il travaille juste assez pour joindre les deux bouts.

Vie personnelle — S

Grande confiance en lui-même; très attrayant.

Santé — S

Le *nec plus ultra*; excellente tolérance à l'exercice; rythme cardiaque lent; trois selles par jour. Il faut remarquer cependant que, malgré une remarquable condition physique, le culturiste ne détient pas le record de la longévité.

Vie professionnelle — E

Échec: emploi ennuyeux et minable; il n'est pas prêt à investir plus de temps pour prouver ses capacités ou suivre les cours de formation qui lui permettraient de trouver un emploi plus satisfaisant. S'il se lançait dans une carrière ou consacrait plus de temps à sa vie sociale, où trouverait-il les cinq heures d'entraînement par jour dont il ne saurait se passer?

Score final: 2 E

Échec avec diminution prévisible de la qualité de vie et, au bout du compte, de sa durée.

Annick la droguée du travail

Profil

C'était une étudiante sérieuse: elle étudiait beaucoup, consacrait peu de temps aux à-côtés — vie sociale, sports ou relations personnelles avec ses camarades. Adulte, elle s'est hissée à un poste de responsabilité. Incapable de «décrocher» de son travail, même pour de courtes vacances dont elle ne tire aucun plaisir. Elle ne se sent bien qu'au bureau et ne s'intéresse à rien en dehors de son travail.

Évaluation

Argent — S

Elle réussit bien, mais son succès n'est proportionnel ni au temps ni à l'énergie qu'elle consacre à son travail.

Vie personnelle — E

Travaille beaucoup; organise mal le peu de temps libre qu'il lui reste et n'a donc pas de temps à consacrer à sa vie sentimentale.

Santé — E

N'a pas le temps de s'occuper d'elle-même: ne fait pas d'exercice, ne prend même pas le temps de bien manger.

Vie professionnelle — S

Comme l'admettent ses camarades de travail, impressionnés par son engagement total, «elle fait un travail extraordinaire». Cependant, son niveau de stress étant constamment *trop* élevé, elle a probablement dépassé son seuil de rendement optimal.

Score final — 2 E

Diminution prévisible dans la qualité de vie et dans sa durée. Il ne suffit pas d'exceller dans un ou deux quadrants. Non seulement les drogués du travail raccourcissent leur vie, mais pour peu qu'elle dure, elle n'est même pas agréable.

Il est important de comprendre que l'échelle du succès est dynamique. Elle se modifie à chaque étape de votre vie et doit donc constamment être présente à votre esprit.

Soumettez-vous au test souvent. N'oubliez pas que Howard Hugues et Marilyn Monroe ont eu du succès au début de leur vie. L'équilibre demeure l'une des clés du succès. Un échec complet sur l'un des quatre quadrants affaiblit éventuellement votre succès dans les trois autres, ce qui, à courte échéance, atteint votre qualité de vie, et à longue échéance, votre longévité.

Utilisez la feuille d'évaluation ci-dessous. Soyez assez flexible pour investir quelque peu dans les domaines où vous enregistrez des échecs, le cas échéant.

Votre feuille d'évaluation

Inscrivez votre nom

	S	E
1. Argent		
2. Vie personnelle		
3. Santé		
4. Vie professionnelle (ou études)		
Votre score final		

Un seul E devrait suffire à vous mettre sur le qui-vive!

Sortiriez-vous vainqueur d'un corps à corps avec la pauvreté?

Il est clair que la pauvreté augmente le niveau de stress, essentiellement parce qu'il est plus difficile de maîtriser la situation. Même pauvre, il n'est cependant pas impossible d'éprouver les «plaisirs du stress». La clé est toujours la même: mieux contrôler la situation en s'organisant mieux.

Histoire de cas — David F.

Quarante ans, cadre supérieur. Mise à pied soudaine. Après quelques semaines pendant lesquelles il passe des entrevues sans succès, il sombre dans la dépression. Son image de lui-même est attaquée, ses capacités de vendeur, particulièrement quand il s'agit de se vendre lui-même, sont minées. Il finit par faire de menus travaux chez lui et pour quelques parents. Bien que son travail soit parfait, il refuse catégoriquement de se faire payer. Il pourrait parfaitement utiliser ses talents de bricoleur (menuiserie, jardinage, électricité, pour ne citer que ceux-là) pour joindre les deux bouts, ou du moins reprendre quelque peu confiance en lui-même.

Au contraire, il se met à fumer et à boire, végète devant la télévision toute la journée, se dispute avec sa femme; bref, il se laisse aller. On voit ici la *puissance de la pensée négative*, et l'augmentation prévisible du stress par désorganisation.

Histoire de cas — Jean B.

Quarante ans, cadre supérieur. Mise à pied soudaine. Il *pense positivement* et tire toujours une leçon de ce qui lui arrive. Il réévalue ses capacités, ses forces, ses faiblesses et ses priorités. Il calcule le salaire minimum qu'il lui faut pour vivre et fait une étude de marché pour découvrir laquelle de ses aptitudes se vendrait le mieux. Il déménage, devient travailleur manuel, et, grâce aux heures supplémentaires, maintient pratiquement ses revenus. Après un an, il obtient un poste de cadre en marketing dans un compagnie nouvellement formée.

Jean B. est flexible, prêt à changer de mode de vie ou à déménager si nécessaire. Il ne s'entête pas à rester dans une ville morte ou dans une profession dépassée. C'est l'exemple parfait de la façon dont la pensée positive assimile les effets négatifs du stress et les transforme en réactions productives et salutaires.

10

Les trois principes de gestion du stress de Hanson

1. Faites-vous plaisir
2. Arrêtez de vous trouver des excuses
3. Regardez la réalité en face

Le premier principe de gestion du stress de Hanson

1. Faites-vous plaisir

De petites récompenses fréquentes (sans être nécessairement chères) sont beaucoup plus efficaces qu'une grosse récompense après des années d'abnégation.

Pour nos enfants ou pour nos animaux domestiques, nous appliquons tous ce principe. Malheureusement, je vois très souvent des adultes le négliger pour eux-mêmes, avec les résultats auxquels il faut s'attendre. Un dénominateur commun se dégage nettement: les temps libres sont généralement dénigrés, leur valeur et leur importance sous-estimées.

À franchement parler, la pauvreté n'a rien de bon. Bien utilisé et en quantité suffisante, l'argent vous permet d'avoir un minimum de contrôle sur votre vie, et, dans la mesure où il vous permet d'augmenter votre résistance au stress, plus de bonheur. (Voir le chapitre 4.)

Il n'est pas nécessaire d'être riche; il suffit d'avoir les coudées assez franches pour prendre certaines mesures propres à diminuer le stress. Trop souvent, on gaspille des sommes considérables parce que l'on omet de faire un budget, ou que l'on adopte des mesures qui empirent les choses à tout coup: jeu, spéculation, mauvais choix de vie (fumer, absorber trop de nourriture ou trop d'alcool).

Grâce à cette petite récompense quotidienne, quelle qu'elle soit — jouer une partie de tennis ou lire un livre dans votre bain —, vous serez de bonne humeur et dominerez votre stress quotidien. Au contraire, en acceptant stoïquement de vous sacrifier pendant trop longtemps avant de vous accorder une grosse récompense, vous entrez dans un cercle vicieux, puisque votre résistance au stress s'amenuise, ce dont votre rendement se ressent. Je n'en veux pour preuve que ces quelques cas réels:

1. L'une de mes patientes rêvait — récompense ultime — de devenir un jour sa propre patronne. Sans aucune étude de marché préalable ni préparation suffisante, elle a laissé un bon emploi de vendeuse pour ouvrir sa propre boutique. En huit ans, elle n'a pu s'offrir aucune des petites récompenses auxquelles elle était habituée: elle n'a pas pris de vacances et ne peut se permettre le moindre petit plaisir. Sa santé, dont elle n'a pris aucun soin, est actuellement très précaire.

2. Un autre de mes patients, vendeur à la commission, voulait une grande terrasse dans son jardin. Menuisier à ses heures, il décida de tout faire lui-même. Même en faisant de son mieux, il était de loin moins efficace qu'un entrepreneur professionnel; il passa la moitié de l'été «sur sa terrasse». La fameuse terrasse finie, il regretta amèrement de ne pas avoir passé toutes ces soirées et toutes ces fins de semaines avec sa femme et ses enfants. Pour comble de malheur, toujours à cause de la terrasse, il rentrait à la maison plus tôt et prit du retard dans l'envoi de ses factures, perdant ainsi plus d'argent qu'il

n'en avait économisé en construisant lui-même sa terrasse. De façon évidente, la Grosse Récompense (une terrasse à meilleur prix) ne valait pas de sacrifier de nombreuses Petites Récompenses (le plaisir d'être en famille).

3. Un couple travaillant à des heures différentes avait tellement misé sur une maison très moderne qu'il ne pouvait plus se permettre ni gardienne ni sortie. Les temps libres, complètement sous-estimés, devinrent une vraie course de relai. Ils ne voyaient leurs amis que rarement, et, comme cela devait arriver, finirent par blâmer la maison, les enfants et même par se blâmer l'un l'autre.

4. Robert et Johanne, travaillant tous les deux, s'étaient fixé comme Grande Récompense de ne plus avoir de dettes. Ils décidèrent donc de mettre le salaire de Robert à la banque et de ne vivre qu'avec le salaire de Johanne. Après dix années de privations, dont les six dernières sans vacances, Robert était épuisé, «burnt out», à bout de forces. Son rendement baissa, son entreprise périclita, et il fit faillite.

Les grosses récompenses sont souvent très chères, en termes de stress. Si on pousse le principe des petites récompenses plus loin, il faut remarquer qu'elles sont plus efficaces encore si on s'en accorde une par *jour*. En fait, bon nombre de récompenses qui font baisser le niveau de stress font désormais partie intégrante de notre vie de tous les jours: les couches jetables, l'eau chaude au robinet, les repas surgelés...

Le second et le troisième principe de gestion du stress de Hanson:

2. *Cessez de vous trouver des excuses — Rejetez toutes ces justifications sécurisantes qui ne dépendent pas de vous*

3. *Regardez la réalité en face — Attaquez-vous efficacement à ce que vous pouvez changer — Ignorez le reste*

Souvent par réflexe, les gens en difficulté «font l'autruche»; pour justifier leur problème ou leur stress, ils invoquent des raisons qui ne dépendent en rien d'eux, quelque chose qu'ils ne peuvent pas changer. Par contre, en regardant la réalité en face — aussi pénible que cela soit parfois —, vous découvrirez la cause *réelle* de vos problèmes. Il n'y a qu'*une* façon de résoudre un problème; il *faut* y faire face. Même s'ils font souvent les manchettes, les agents stressants vraiment incontrôlables, les catastrophes naturelles ou les malchances pures et simples sont heureusement rares.

«Faire l'autruche» devant un problème est un mauvais moyen de gérer son stress. Premièrement, vous cessez de chercher le vrai coupable; deuxièmement, vous perdez le sommeil à force de vous tracasser pour des choses qui sont totalement hors de votre portée.

Voyons certains des problèmes que vous pouvez rencontrer dans chacun des quadrants de votre vie. Remarquez que dans *chaque cas* vous pouvez mettre le stress en échec: il suffit de regarder en face la *réalité* qui se cache derrière toutes les belles excuses que vous forgez. Sinon, vous gaspillez votre temps et votre énergie à essayer de changer ce qui ne dépend pas de vous.

Si on voulait établir la liste de ceux qui entendent les plus belles excuses, on commencerait certainement par les prêtres, lorsqu'ils donnent l'absolution, et les policiers, lorsqu'ils donnent des contraventions. Permettez-moi de vous dire que tous les médecins de famille du monde entendent sans doute le même type d'excuses.

Pour chacun des problèmes ci-dessous, j'ai entendu des patients «faire l'autruche» derrière les plus belles excuses, tellement confortables mais tellement incontrôlables. Chaque fois, ils étaient incapables d'envisager une solution à leur problème ou une façon de maîtriser leur stress avant que j'arrive à leur faire regarder la *réalité* en face (aussi pénible que ce soit parfois).

Gagner ou perdre une bataille contre le stress peut dépendre de cela.

Quadrant argent

Problème: Jamais assez d'argent, quel que soit mon salaire, (pauvreté relative).

L'autruche

Conjoncture économique

Inflation

Taux d'intérêts élevés

«C'est la faute de la société; je n'y peux rien, sinon m'en accommoder.»

«Je suis trop fatigué pour être en forme au travail.»

La réalité

Objectifs irréalistes.

Vous faites vos calculs à partir de votre salaire brut et non de votre salaire net.

Mauvaises habitudes de crédit.

Vous ne «magasinez» pas assez. Acheteur impulsif; réaction compétitive à la pression des autres (par exemple, faire comme les Tremblay).

Parfois, il faut savoir investir. En engageant un employé à temps partiel auquel vous confierez certaines tâches, vous disposerez de plus de temps pour travailler efficacement ou vous détendre en famille. On sous-estime ce processus de «recharge des batteries», qui, très souvent, génère une augmentation de revenus. N'oubliez pas le premier principe de diminution du stress de Hanson: Faites-vous plaisir.

Quadrant
vie personnelle

Problème:
Vie de couple difficile

L'autruche

La réalité

«Elle s'ennuie à la maison.»

En réalité, elle n'a aucune stimulation, est surqualifiée pour ce qu'elle fait et très probablement désorganisée. Souffre de *trop peu* de stress (voir page 19), aurait avantage à accepter quelques tâches supplémentaires en dehors de la maison.

«Il y a des sujets dont je ne peux pas discuter avec mon conjoint.»

Mauvaise communication. Peur des discussions orageuses et des portes qui claquent. (Avant de recourir au mélodrame, vérifiez vos portes: certaines portes modernes font un bruit totalement ridicule, ce qui diminue d'autant l'effet produit par celui qui claque les portes.)

La mauvaise communication amène les conjoints à entretenir inutilement des sentiments négatifs durant de trop nombreuses années.

«Il ne m'invite jamais à souper au restaurant.»

Il ingère sept mille calories au dîner et les met sur son compte de dépenses.

Il (elle) est drogué par le travail.

Désorganisé au travail, culte du moi ou attitude classique de fuite devant les conflits potentiels à la maison. Une «soupape» facile qui, dans la plupart des professions, est socialement acceptable, et admirable. Pour le conjoint délaissé, cela équivaut à passer régulièrement ses soirées à jouer aux cartes.

Il (elle) «a besoin de temps pour réfléchir».

Il/elle est au restaurant.

Il (elle) «a besoin de quelqu'un de plus jeune».

N'a pas eu de relations sexuelles depuis un certain temps. Essaye de se refaire une jeunesse, ce qui est toujours possible; mais on ne retrouve jamais la *sienne*.

Nous n'avons plus de «plaisir à être ensemble».

Inflexibilité dans la vie de tous les jours, peu de place pour la spontanéité. Elle ne raffole peut-être pas de passer quarante-deux heures par fin de semaine à regarder du football à la télévision. Il en a peut-être assez d'entendre le compte rendu des feuilletons de l'après-midi pendant le souper.

Problème:
Ma vie sexuelle est désastreuse.

L'autruche

La réalité

«C'est normal, à mon âge.»

Anxiété et stress, sans parler de l'ennui. Il est important de se rappeler que, chez l'homme, l'anxiété entraîne un orgasme prématuré, pouvant aller jusqu'à l'éjaculation précoce, tandis que chez la femme,

l'anxiété retarde l'orgasme, ce qui signifie qu'elle n'aura peut-être même pas le temps de s'exciter alors que lui sera déjà apaisé. C'est là l'un des problèmes sexuels les plus courants, qu'on peut régler en recourant à un conseiller en thérapie de couple, et en lisant des ouvrages spécialisés, entre autres, *Les joies du sexe*, d'Alex Comfort et *Les mésententes sexuelles*, de Masters et Johnson.

Problème: Vous ne connaissez plus vos enfants

L'autruche

Les adolescents sont bourrus.

La réalité

Le temps consacré à les connaître pendant qu'ils grandissaient a été mal mis à profit. C'est un problème classiques des drogués du travail et des parents qui veulent à tort éviter que leurs enfants aient à faire face au stress.

«Je n'ai pas de temps à passer en famille.»

Probablement désorganisé, vous essayez d'en faire trop sans déléguer efficacement vos responsabilités. Vous devriez refuser certaines activités accessoires, au travail et à la maison (groupes de bénévoles, comités). Typique des gens qui ont dépassé leur niveau optimal de stress (voir le graphique p. 19).

Quadrant santé

Problème: Douleurs thoraciques

L'autruche

«Ce n'est rien.» «C'est sûrement quelque chose que j'ai mangé.»

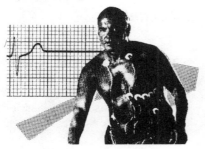

La réalité

Avertissement éventuel d'un trouble cardiaque, à ne pas ignorer; 60 p. 100 des hommes d'affaires dirigeant leur propre entreprise souffrent de douleurs thoraciques; la plupart les ignorent. Voyez votre médecin pour un examen médical approfondi et ignorez les douleurs seulement lorsqu'il vous aura dit qu'elles sont bénignes. Ne tirez pas cette conclusion vous-même.

Problème:
Faible tolérance à l'exercice

L'autruche

«C'est l'âge.»

«Je joue quand même à la balle molle.»

«Je vais au bowling régulièrement.»

La réalité

Paresse crasse depuis que vous avez six ans.

Pendant tout le jeu moins deux minutes, vous êtes accroupi à attendre la balle.

Les quilles font plus d'exercice que vous.

«Je joue un peu au football en fin de semaine.»

On dirait un message publicitaire pour une bière. D'ailleurs, les calories contenues dans les bières d'après le match annulent généralement tout le bénéfice tiré de l'exercice.

Problème: L'obésité

L'autruche

La réalité

«Il faut bien que je cuisine pour ma famille, alors je mange aussi pour leur tenir compagnie.»

Si vous pouvez dresser votre chien à ne pas sauter sur le comptoir de la cuisine et à ne pas manger la nourriture qui est dans les assiettes, vous pouvez vous dresser aussi.

«Mon poids ne veut pas baisser.»

Il vous faut manger des quantités énormes chaque semaine rien que pour maintenir votre poids. N'oubliez pas que vous êtes l'agent *actif* de votre obésité en mangeant trop.

«Je mange moins que tous mes amis.»

Seulement devant témoin. Tout seul, vous mangez comme un ogre.

«Je mange par politesse. Souvent, les gens me disent: «Mange, j'ai cuisiné ce plat spécialement pour toi!»

C'est peut-être du sabotage de la part de votre conjoint, de vos parents ou de vos camarades qui voient votre succès d'un mauvais oeil. C'est peut-être de la jalousie: Les gens préfèrent vous voir rester comme vous êtes, gros et inoffensif. Reconnaissez la technique pour ce qu'elle est, et, poliment mais fermement, refusez. En acceptant de trop manger vous leur prouvez que vous avez une piètre image de vous-même.

«Il faut bien que je cuisine pour les enfants.»

Avouez-le, vous cuisinez pour vous-même, et les enfants mangent ce que vous ne pouvez pas manger.

«J'ai de gros os.»

Une ossature forte n'explique pas que vous ayez tant de mal à vous extirper d'un fauteuil trop profond. Vous êtes *gros*. Vous ne perdrez jamais de poids si vous ne l'admettez pas. Selon votre ossature, il peut y avoir une variation de quelque dix ou quinze livres au-dessus du poids idéal. Le test du maillot de bain devant un miroir de pleine hauteur révélera si vous avez des bourrelets à éliminer.

«Je vais au restaurant très souvent.»

Ne vous croyez pas obligé de manger tous les plats inscrits au menu sous prétexte que vous n'avez pas à faire la vaisselle.

«Ce *n'est* certainement *pas parce que je mange trop.*»

Mais si! *Certainement.*

Piètre image de soi ou manque de confiance en soi; peur d'être blessé.

Devenir gros est une technique pour éviter les blessures sociales. Indique souvent de la lâcheté. Si vous vous respectez davantage, les autres en feront autant.

«Je ne peux pas faire de sport, je suis trop lourd, ou j'ai mal au dos, aux genoux.»

Essayez de nager. Même un hippopotame est gracieux dans l'eau.

«C'est hormonal.»

Non. Vous mangez trop.

«C'est l'heure du souper, il faut que je soupe .»

Si vous êtes obèse, il n'y a aucun problème à ce que vous sautiez un repas si vous n'avez pas faim.

«Il faut que je cuisine pour toute la famille, c'est pour ça que je grossis.»

Vous n'auriez pas autant de nourriture à préparer si vous ne mangiez pas autant.

«Je me sens tellement faible quand mon estomac est vide.»

Si un ours brun peut passer tout l'hiver sans manger, vous devriez pouvoir survivre pendant les deux heures qui précèdent le dîner. Si vous avez vraiment besoin d'avaler quelque chose, essayez les collations pauvres en calories et riches en fibres (voir tableau 5,2 et appendice C).

«C'est héréditaire.»

Tous les membres de votre famille mangent trop.

«J'ai juste à regarder de la nourriture...»

«... et à la manger.»

Problème: Le tabac

L'autruche

La réalité

«Ça me relaxe.»

Autant que de voir votre belle-mère partir.

«Je prends du poids quand je cesse de fumer.»

Achetez-vous une tétine. Beaucoup de fumeurs ont un problème de poids. Le vrai problème, c'est votre fixation orale, qui vous vient de votre petite enfance où vous suciez votre pouce.

«Je suis insupportable lorsque je manque de cigarettes.»

Il est possible d'adoucir ce comportement. Voyez votre médecin. Si nécessaire, essayez l'acupuncture ou l'hypnose.

«Je cesserai après la prochaine réunion, tout le monde y fumera.»	Vous remettez au lendemain. Vous aurez d'autres réunions après celle-ci. Arrêtez aujourd'hui même!
«Ça occupe mes mains dans les soirées.»	Autant que vous curer le nez.
«Ça me donne une allure sophistiquée et une plus grande confiance en moi.»	Votre tenue de sport sent tellement le tabac qu'elle déclencherait un détecteur de fumée à un kilomètre.
«C'est romantique.»	Votre haleine sent le vieux caoutchouc brûlé.

Problème: Consommation excessive d'alcool

L'autruche
La réalité

«Tous mes amis boivent.»	Avez-vous envisagé de changer de milieu?
«Le stress au travail (ou à la maison).»	Il semble plus facile d'oublier son stress que d'y faire face. Mais cette tactique ne fera pas disparaître votre stress; il ne disparaîtra que le jour où vous le regarderez en face.

Problème: Ma peau se ride, particulièrement au visage.

L'autruche
La réalité

«C'est l'âge.»	Le vieillissement de la peau a trois causes que l'on peut prévenir.

1. Trop de soleil

Même à vingt ans, votre visage ressemblera au cou d'un cow-boy. Mis à part les risques de cancer, il se peut que votre peau présente des «taches de soleil», comme si vous aviez bruni à travers une passoire. L'exposition directe au soleil rend également la peau plus fine et moins élastique. Toutes ces modifications seront enrayées par le port de vêtements appropriés (dont un chapeau), l'application de filtres solaires adaptés à votre peau, ou en restant à l'ombre.

2. Consommation excessive d'alcool

Une consommation excessive et quotidienne d'alcool entraîne le vieillissement de la peau, et donc du corps tout entier. (Voir le chapitre 3.)

3. Excès de stress

Peut faire vieillir quelqu'un «du jour au lendemain».

Problème: Les maux de tête dus à la tension

L'autruche

«Trop de stress.»

La réalité

Vous ne réussissez pas à maîtriser vos problèmes. Ignorance des techniques de relaxation qui vous permettraient souvent de faire avorter un mal de tête dès le début (ces

techniques s'apprennent facilement en hypnothérapie ou par bien d'autres méthodes, voir «sieste éclair», page 105). Mauvais choix alimentaires, excès de sucre qui entraîne des maux de tête lors du rebond hypoglycémique, allergies aux coquillages, aux arachides, à certains produits laitiers. (Consultez votre médecin qui vous aidera à les identifier.)

Une migraine peut être due au phénomène du rebond hypoglycémique, ou à une surabondance de médications lors de migraines précédentes. C'est donc un cercle vicieux, fréquent chez les patients qui absorbent de fortes doses de codéine pour soulager leurs maux de tête.

Tout mal de tête doit être pris en considération et faire l'objet d'un examen attentif de votre médecin. Il arrive en effet qu'un simple mal de tête soit le signe d'un problème sous-jacent beaucoup plus grave, qu'il serait dangereux de ne pas traiter. J'ai remarqué que l'acupuncture a permis à beaucoup de mes patients de mettre fin à un usage chronique de médications fortes. Libérés du cycle douleur-médicaments, ces patients voient souvent leur mal de tête céder.

Problème: Divers — eczéma, haute pression, etc.

Très souvent liées au stress, ces

affections peuvent répondre à une meilleure gestion du stress. Voyez votre médecin.

Quadrant carrière

Problème: Faillite (chef d'entreprise)

L'autruche

«C'est à cause du temps.»

«C'est à cause des taux d'intérêt.»

«C'est la faute de la banque; ils me demandaient de rembourser mon emprunt.»

«J'étais en avance sur mon époque» (*un compliment caché que vous vous faites*).

«Mes clients n'ont pas compris mon produit» (*sous-entendu: ce sont eux qui sont stupides*).

La réalité

Cela vous apprendra à mettre sur pied la seule palmeraie du parc des Laurentides.

Mauvaise mise en marché, mauvais emplacement, mauvaise saison — des meubles de jardin en octobre — ou mauvais produit — des frigidaires chez les Esquimaux. Mauvaise gestion de vous-même et de vos employés par incompétence, ou simplement parce que vous n'avez pas les connaissances appropriées.

Les banques ne sont pas des oeuvres de charité. Elles n'*aspirent* qu'à vous prêter plus, sauf si vous leur donnez quelque inquiétude quant au remboursement.

Vous n'avez absolument aucun sens du moment propice.

Vous n'avez ni bien présenté ni bien mis en marché votre produit, ou vous avez choisi un mauvais produit. (De toute façon, vous êtes le seul responsable.)

Problème: Mise à pied — l'usine a fermé, par exemple.

L'autruche

«C'est la récession.»

«On n'y peut pas grand-chose.»

La réalité

Il y a des solutions. Inutile de vous entêter à rester dans une ville fantôme, alors qu'il y a du travail ailleurs dans le pays. Des gens qui subissaient précisément le même phénomène en Europe ont émigré pour bâtir l'Amérique du Nord.

Il est toujours utile d'être assez flexible pour déménager dans des régions plus propices à l'embauche, pour se recycler ou pour en profiter et travailler un peu moins pendant quelque temps. (L'un de mes patients était un chercheur chevronné hautement spécialisé. À la fermeture de l'usine métallurgique où il travaillait, il quitta la région lointaine où il habitait pour une région plus industrielle où il fut engagé comme travailleur à la chaîne chez un fabricant d'automobiles. Il réussit à maintenir ses revenus en faisant du temps supplémentaire. Ses anciens collègues, moins souples et refusant tout emploi qui ne correspondait pas à leur formation, sont encore sans emploi et souffrent d'une plus forte dose de stress.)

Beaucoup de demandeurs d'emploi

peuvent faire de «menus travaux» à temps partiel dans leur quartier; ils peuvent tondre le gazon, enlever la neige ou faire des travaux de peinture, soit à temps plein, soit pour s'assurer un revenu minimum pendant qu'ils cherchent un emploi plus satisfaisant. Dans toutes les régions du pays, à part celles qui sont moins florissantes, ce type de travaux fait l'objet d'un marché parallèle relativement bien organisé.

Problème:
Cadre déchu ou congédié

L'autruche

«C'est la faute du système.» «J'ai été trahi par les miens.» «J'ai été congédié parce que j'ai plus de cinquante ans.» «J'ai été congédié parce que j'ai des diplômes universitaires.»

La réalité

Vous êtes peut-être congédié à cause de votre mauvais rendement ou vous écopez des effets de jeux politiques. Votre formation et vos objectifs personnels ne sont peut-être plus en harmonie avec les besoins de la compagnie.

Problème: Pas d'emploi malgré un doctorat

L'autruche

«Actuellement, personne n'embauche.»

La réalité

Personne ne vous embauchera si votre formation n'est pas monnayable. Il est très peu probable qu'un doctorat en littérature anglaise du Moyen-Âge fera frémir d'aise les gestionnaires de grandes entreprises.

Problème: J'ai peu d'amis au travail.

L'autruche

«Aucun de mes collègues de travail ne vaut la peine d'être connu.»

La réalité

Ils pensent probablement la même chose de vous. Une amitié se bâtit et se nourrit. Quelques bons amis suffisent; point n'est besoin d'inclure tous vos collègues de travail dans votre cercle d'amis intimes.

Problème: Je déteste mon emploi; je m'ennuie.

L'autruche

«C'est pareil pour tout le monde — c'est la vie.»

La réalité

Le cas classique du Principe de Peter — promu jusqu'à ce qu'il atteigne son niveau d'incompétence pour y rester à jamais.

Le corollaire est le suivant: dans tout système hiérarchisé chacun tend vers son niveau d'incompéten-ce. La solution c'est le «connais-toi toi-même»; refusez toute promotion qui vous ferait passer d'un poste où vous excellez à un poste où vous vous savez moins compétent. Demandez une rétrogradation si nécessaire. Dans une entreprise valable, on accédera à votre demande; dans une entreprise pleine d'incompétents, on vous demandera peut-être de démissionner.

«J'ai du travail par-dessus la tête, mais personne ne peut me remplacer efficacement.»

Vous ne savez ni former vos employés ni déléguer certaines tâches. Vous seriez probablement incapable d'organiser un cortège funèbre de deux voitures.

Problème:
Mon travail me stresse trop.

L'autruche

«Je déteste mon travail; mais je dois le conserver encore dix ans, sinon je perdrai mon fonds de pension.»

La réalité

Rien ne vous oblige à conserver toute votre vie un emploi qui ne vous satisfait pas, ou une union ou une relation amicale qui ne vous satisfont pas. Rien ne vous oblige non plus à faire les mauvais choix pour diminuer votre stress, qui prédéterminent presque immanquablement la panne mécanique de certaines pièces de votre corps. Vous n'êtes pas un boulet de canon qui, une fois lancé, ne peut faire qu'une chose: attendre de tomber. Vous avez un esprit, vous pouvez voler, prendre votre propre destinée en mains.

«Mon fonds de pension me garantit une retraite heureuse.»

Quelle valeur aurait votre pension aux yeux de votre veuve si vous disparaissiez prématurément? À choisir, elle préférerait probablement vous conserver, *vous*, en chair et en os.

L'argent ne garantit en rien que vous aurez une retraite heureuse. Ne mettez pas en parallèle les senti-

ments négatifs que vous avez face à votre emploi (insatisfaisant) et les sentiments positifs que vous pensez avoir dès que vous prendrez votre retraite.

Vous pouvez démissionner de cet emploi insatisfaisant dès aujourd'hui et vous lancer dans une nouvelle carrière qui vous rendra heureux. Même si vos revenus diminuent légèrement, vous pourrez probablement travailler pendant plus d'années, puisque chaque *jour* de travail vous apportera une certaine satisfaction; vous ne risquerez donc pas de mourir par manque de stress (dans les deux ans d'une retraite inactive — voir page 18).

Conclusion

Nous voici donc au terme de ce livre. Vous avez pris pleinement conscience des agents stressants qui émaillent votre vie. Vous savez maintenant comment transformer vos réactions de défense en une forteresse invincible, ou presque. Lorsque le stress attaquera votre corps, vous pourrez identifier ses réactions réflexes, ni parfaitement adéquates ni parfaitement appropriées, mais, en en prenant conscience, vous les rendrez plus efficaces. L'ennemi est identifié, les armes choisies, la victoire est à vous. Le jeu en vaut la chandelle: la mise est négligeable comparée aux prix à gagner, de loin supérieurs à ceux

de la loterie, puisqu'ils se savourent chaque jour et se doublent d'un super-bonus: une vie longue et prospère.

En exerçant une complète maîtrise du stress et en choisissant les réactions judicieuses aux agents stressants, vous mettez tous les atouts dans votre jeu. Au contraire, en faisant fi de ces conseils, vous tombez dans le panneau et gaspillez ce don d'intelligence qui distingue l'homme de l'animal.

Ne haussez plus les épaules d'un air fataliste lorsque vous pensez à l'avenir. Lancez-vous dans la bataille, luttez pour la vie, votre vie, et gagnez. Ne reculez pas devant le

215

stress; allez au-devant de lui et tirez-en le *meilleur parti*: il ne constitue plus une menace mais une source de plaisir. Commencez votre offensive dès maintenant. Jouissez au maximum de cette combinaison gagnante: un esprit bien organisé dans un corps en forme. Vous avez toutes les raisons d'être optimiste face à l'avenir. Ne traversez pas votre vie comme un touriste passif, prenez-la en main, jouez un rôle actif dans la gestion de vous-même.

Appliquez les trois principes de gestion du stress de Hanson:

1. Faites-vous plaisir.

2. Cessez de vous donner des excuses.

3. Regardez la réalité en face.

La méthode Hanson vous permet de mener une vie mieux remplie, plus savoureuse et plus plaisante, pour votre plus grande joie et celle de ceux qui vous aiment.

Maintenant, vous connaissez les *Plaisirs du stress*.

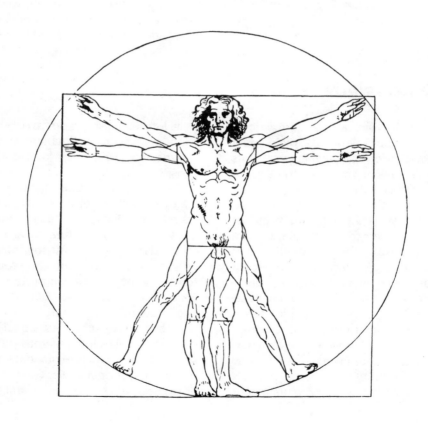

La vie n'est pas si simple

Illustration personnelle

Oui... je sais ce que vous pensez. La vie n'est pas si simple. Toute l'analyse des effets du stress sur notre corps semble logique, mais la nature humaine est ainsi faite que l'occasion fait le larron, bref, on peut trébucher. C'est vrai. Personne n'est parfait...

Encore étudiant en médecine, je passai un été en Grande-Bretagne. Un marchand de vin de l'endroit me proposa gentiment une «tournée» dans plusieurs des châteaux français les plus renommés pour leur champagne.

Je m'attendais à rattraper un voyage organisé sur le retour. Quelle ne fut pas ma surprise lorsque, à mon arrivée au premier château, je fus accueilli personnellement par un des directeurs de la compagnie. Nous passâmes quelques heures à visiter, en sirotant, des kilomètres et des kilomètres de caves remplies de bouteilles de champagne.

On me conduisit ensuite dans une vaste salle construite en l'honneur de Napoléon, qui faisait des visites fréquentes au château pour «faire le plein» avant la bataille. Des valets en gants blancs et livrées à brandebourgs dorés se tenaient au garde-à-vous autour d'une immense table flanquée de quatre chaises.

La propriétaire de Moët et Chandon, la charmante comtesse de Maigre, entra et me serra la main. Une jeune comtesse la suivait, ainsi que l'un des cadres supérieurs de l'entreprise. Les valets ne nous laissant aucun répit, le champagne coulait à flots. «Loin de moi la pensée de refuser un verre, surtout gratuit; après tout, je ne suis qu'un pauvre étudiant», pensais-je.

Après une heure, mes facultés étaient grandement affaiblies; mes hôtes, au contraire, semblaient en pleine possession de leurs moyens — probablement grâce à l'entraînement et à la forte constitution des foies gaulois. Je fus invité à me joindre à eux pour le déjeuner et suivis donc, dans ma petite Simca cahotante, la procession de voitures rutilantes. Nous roulâmes un kilomètre environ sur une allée bordée d'arbres, puis, passant sous une arche de pierre, nous entrâmes dans la cour du magnifique château de Saran, autrefois château de chasse des rois de France.

Une escadrille de serviteurs à l'allure militaire sortit pour accueillir le convoi et ouvrir les portières des automobiles. Celui qui s'occupait de moi prit mon sac de toile et me précéda dans le château. On m'aida à monter dans la grande chambre de coin qui allait être la mienne. Les fenêtres habillées d'épais rideaux avaient au moins huit pieds de haut et donnaient sur la cour intérieure du château. Mon valet m'expliqua avec un soupir de regret qu'avant moi, Brigitte Bardot avait dormi dans ce lit, mais qu'elle venait tout juste de partir. Je partageai sa tristesse, mais le rassurai: elle aurait peut-être l'occasion de me rencontrer ailleurs.

Espérant chasser les vapeurs éthyliques, je m'aspergeai le visage d'eau froide. Cinq minutes plus tard, je descendis dans le salon et constatai que l'on y prenait l'apéritif. Un repas somptueux nous fut ensuite servi, accompagné de trois vins différents, et suivi de plusieurs pousse-café. Réprimant mes éructations, je commençais à voir double lorsque la comtesse me suggéra d'aller en voiture visiter le château Mercier, où l'on produisait, bien que sur une plus petite échelle, un champagne très prisé.

Au château Mercier, le directeur m'accueillit dans une salle digne d'un musée princier. Comme j'étais le seul visiteur, il m'était difficile de refuser son hospitalité et une autre bouteille de champagne. Je n'ai aucun souvenir du reste de la visite des caves, sinon que nous roulions à vive allure dans une voiture de golf électrique, les cheveux me battant le visage, la cravate au vent, et des millions de bouteilles et de tonneaux fusant autour de nous.

Je dus m'appuyer sur le bras du directeur pour remonter des caves. Il me versa un dernier verre de champagne en signe d'adieu. Il était huit heures moins cinq lorsque je repris, à grand-peine, le volant de ma voiture. Avant mon départ, la comtesse m'avait recommandé d'être de retour au château à huit heures au plus tard pour un dîner officiel auquel devait assister l'ambassadeur de Suisse.

J'entrepris donc le voyage de retour qui devait durer dix minutes au plus, et me perdis. Pris de panique, parce que stressé, je repérai finalement une lumière à l'étage d'une maison en construction. Je me frayai un chemin à travers les amas de matériaux, empruntai l'échelle placée là pour monter à l'étage, et demandai comment me rendre à ce foutu château. Le maître de céans tendit le bras en direction du sommet de la colline; j'imitai son geste, mon bras pointé dans la même direction que le sien.

Cependant, lorsque je me retournai pour descendre l'échelle, mon bras désignait la direction opposée. À la grande surprise de l'occupant des lieux, je me dirigeai tout bêtement dans cette direction.

Environ un quart d'heure plus tard, je tournais toujours frénétiquement en rond dans une jungle de vignobles, la voiture s'enfonçant de plus en plus dans la boue. Finalement, je vis une lumière briller au travers des fourrés et dérapai jusque-là, emportant quelques ceps au passage. Je frappai à la fenêtre pour demander où était le château. À mon grand étonnement, ce fut la comtesse elle-même qui m'ouvrit la fenêtre: j'étais arrivé à l'arrière de la serre, et la soirée officielle était largement entamée. Je nettoyai mes vêtements d'un revers de main, reboutonnai mon veston sport puis, très sûr de moi, la suivis. Gentiment, elle me présenta à chacun des invités en me tenant par le bras. Je me rappelle avoir grommelé quelques vagues excuses, accusant le décalage horaire alors que la comtesse venait justement de souligner que j'étais en Europe depuis un mois.

Nous bûmes — encore — du champagne, puis le majordome aux allures militaires vint annoncer que madame était servie. Je demandai aux invités et à l'ambassadeur de Suisse de bien vouloir m'excuser: me sentant quelque peu fatigué, j'allais m'allonger avant de les rejoindre pour la fin du repas. Très calmement, je montai donc me coucher.

Tout du moins, c'est ce que je pensais avoir fait. En réalité, la scène se déroula de la façon suivante. Lorsque je rentrai, titubant, par la porte arrière, la jambe droite de mon pantalon était déchirée du genou à la cheville, ma cravate maculée, l'une de mes chaussures littéralement remplie de boue, et ma veste mal boutonnée. Je marchais d'un pas mal assuré en traînant mes pieds boueux sur les tapis de grand prix, et m'appuyais de tout mon poids sur la comtesse.

Lorsque, très élégamment, je me retirai, je ne pus monter que cinq marches, en redescendis quatre, laissai éclater un juron retentissant, puis, escaladant encore dix marches, en redescendis six, jurant à chaque manoeuvre. L'écho de mon ascension dans le hall aux murs de pierre était tel qu'il interdisait toute conversation dans la salle à manger.

Lorsqu'enfin j'arrivai en haut de l'escalier, je me saisis du gros téléphone blanc et appelai en hurlant «Ralph» et «Hewie». À ma grande honte, lorsque je m'éveillai le lendemain matin et regardai furtivement dans la cour intérieure, j'aperçus ma Simca minable, couverte de boue, bloquant la sortie du garage et parée d'au moins la moitié des vignobles de la Maison Moët. On avait mis un cric sous la roue avant gauche, et un garde en gants blancs essayait avec dédain de retirer les lambeaux qui restaient de mon pneu. Il réussit enfin à monter la roue de secours, mais l'expression de son visage laissait penser qu'il aurait préféré nettoyer des écuries.

Espérant atténuer mon mal de tête, je pris deux cachets d'aspirine dont aucun ne fit effet. Je pris ensuite mon courage à deux mains et descendis au petit déjeuner. La comtesse me dit quelques mots gentils et fit remarquer que généralement les étrangers ne tenaient pas le coup, sans doute parce qu'ils n'étaient pas habitués à boire. Au moment du départ, elle m'invita chaleureusement à venir m'essayer une seconde fois. Puis, comme pour me rassurer, elle ajouta que le mois précédent, un groupe de quarante Japonais s'était perdu: après la dégustation, le chauffeur de l'autobus s'était probablement trompé de direction; ils ont disparu derrière un bosquet; on ne les a jamais revus.

«Connais-toi toi-même»

Typologie des
comportements sociaux

Comme nous l'avons vu, pour bien gérer votre stress, vous devez d'abord faire une évaluation personnelle très objective qui vous permettra de vous fixer des *objectifs réalistes* (voir le chapitre 4), de découvrir l'*emploi* qui correspond à vos aptitudes, et de mieux comprendre votre patron, vos employés, vos clients, et, de façon bien plus importante, votre conjoint et vos enfants.

Larry Wilson, de Larry Wilson Learning Corp., a créé un guide simple mais remarquablement cohérent permettant d'identifier les quatre principaux types de comportements sociaux.

Ce guide a été conçu à l'intention des vendeurs afin de les rendre polyvalents et de les aider à adopter une attitude *totalement différente* envers chacun des quatre types de comportements sociaux; cette polyvalence peut être d'une aide précieuse dans nos relations interpersonnelles de tous les jours. En effet, une personne se sentira plus *à l'aise* si on utilise avec elle l'approche propre à son quadrant social. Sur les lieux de travail, instinctivement les gens s'entendent mieux avec ceux qui ont le même type de comportement social, le même quadrant social. Pour une raison mystérieuse, cependant, les gens de même quadrant se marient rarement ensemble. Cette disparité ajoute parfois un peu de piquant au mariage mais, à moins d'apprendre à être polyvalent et à reconnaître les besoins et les désirs de chacun, cela peut également engendrer des frictions graves. Ce système m'a apporté une aide appréciable dans les thérapies de couple, parce qu'il aide les gens à comprendre pourquoi les autres se comportent comme ils le font.

Soulignons ici que ces types de comportements sont l'expression de préférences personnelles, et ne constituent en aucun cas une preuve d'intelligence, d'ambition ou de succès. Chaque quadrant recouvre certains comportements prévisibles. En les connaissant, vous comprendrez beaucoup mieux les autres, et améliorerez la qualité de vos relations interpersonnelles à la maison et au travail.

Voyons d'abord où vous vous situez; vous évaluerez ensuite ceux qui vous entourent. Dans les deux cas, commencez toujours par vous poser la question suivante: le sujet 1) *réagit-il* aux événements ou 2) *s'affirme-t-il* face aux événements? Vous trouverez au tableau 1 des indices qui vous permettront d'identifier chacun des deux comportements.

Après avoir identifié votre quadrant principal (en général, on retrouve chez la même personne — quoique de façon moins marquée — des comportements typiques d'un autre quadrant au moins), vous trouverez au tableau 2 les comportements ou tendances prévisibles pour chacun des comportements sociaux. Le vendeur qui a de l'expérience utilise ce tableau pour varier la présentation de son produit selon le quadrant auquel appartient son client. (Voir la bibliographie.)

Faites le même exercice pour votre conjoint, vos enfants, vos parents, afin de mieux comprendre comment ils approchent un problème et de diminuer votre stress en devenant plus compréhensif dans votre relation avec eux.

Il est évident que vous pouvez également utiliser ce guide pour diminuer votre stress au travail, d'abord parce que le nombre de vos ventes augmentera, mais aussi parce que vous comprendrez mieux comment stimuler vos employés pour que leur productivité augmente, ou que vous saurez comment améliorer vos relations avec votre patron.

Enfin, le tableau 3 permet à ceux qui sont insatisfaits de leur emploi de voir si leur échec est dû à leur type de comportement social et les aide, le cas échéant, à choisir un domaine plus approprié. (Au moment de choisir une spécialisation ou une carrière, les adolescents en tireront également le plus grand profit.)

Tableau 1a

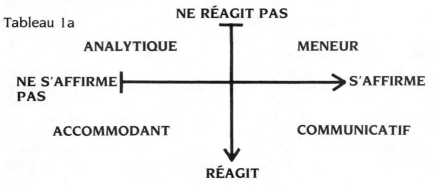

Tableau 1b

**Guide d'identification
des comportements sociaux**

Le sujet réagit-il?
Il ne réagit pas
Réservé, passif, visage impassible
Ses actes sont prudents et soigneusement pesés
Veut des faits et des détails
Regarde peu souvent son interlocuteur dans les yeux
Parle peu souvent de lui-même, ou pour ne rien dire

Le sujet s'affirme-t-il?

Il s'affirme	**Il ne s'affirme pas**
Souligne ses idées par des inflexions de voix	Ne souligne pas ses idées d'une inflexion de voix
Attitudes agressives ou dominantes	Attitudes et maintien calmes et soumis
Débit clair ou rapide	Débit posé, étudié ou lent
Poignée de main ferme	Pose souvent des questions, affirme rarement
Affirme souvent, pose rarement des questions	Besoins vagues, confus
Fait savoir clairement ses besoins	Corps incliné vers l'arrière
Corps incliné vers l'avant lorsqu'il veut prouver qu'il a raison	

Il réagit
Animé, visage très expressif
Sourit, opine de la tête, fronce les sourcils
Ses actes sont directs et passionnés
Se préoccupe peu des faits
Regarde souvent son interlocuteur dans les yeux
Regard amical
Mains libres, paumes ouvertes
Gestes amicaux
Partage ses impressions personnelles
Attentif, répond, apprécie les relations humaines

Tableau 2

Forces et faiblesses

	POINTS FORTS ÉVIDENTS	POINTS FAIBLES ÉVIDENTS
Meneur **(gestion)**	Décidé Inflexible Décisif Efficace Responsable	Opiniâtre Sévère Dominateur Rude Exigeant
Communicatif **(sciences sociales)**	Amène Stimulant Enthousiaste Théâtral Inspirant	Dogmatique Manipulateur Colérique Prompt Arriviste
Accommodant **(secteur terciaire)**	Tolérant Respectueux De bonne volonté Fiable Amène	Conformiste Effacé Retiré Indiscipliné Émotif
Analytique **(secteur technique)**	Travailleur Persistant Sérieux Vigilant Ordonné	Renfermé Indécis Froid Exigeant Impersonnel

Tableau 3

	EMPLOI SATISFAISANT	EMPLOI NON SATISFAISANT
Meneur	Dirigeant politique ou cadre d'entreprise	Photographe d'enfants
Communicatif	Comédien, relations publiques, vente, emploi demandant un contact avec le public	Comptable, chercheur, bibliothécaire
Accommodant	Relations publiques, vente, secteur tertiaire, industrie	Agent de recouvrement, dirigeant syndical, sergent instructeur, videur
Analytique	Comptable, analyste boursier, chercheur, physicien	Animateur d'un jeu télévisé, coordonnateur des activités récréatives sur un bateau de croisière

Tableau 4

Typologie des comportements sociaux

À L'INTENTION DES VENDEURS	MENEUR
Lorsqu'il est acculé	tyrannise
Mesure la valeur personnelle par	les résultats
Pour s'améliorer devrait	écouter
Aidez-le à	économiser du temps
A besoin d'un climat qui	lui permet de s'organiser
Avec lui, soyez	efficace
Soutenez-le dans ses	conclusions et actions
Valorise les réponses à la question	quoi?
Au moment de prendre une décision, offrez-lui	choix et possibilités
Spécialité	gestion

COMMUNICATIF	ACCOMMODANT	ANALYTIQUE
attaque	acquiesce	évite
les applaudissements	l'intérêt qu'on lui porte	le dynamisme
analyser	s'ouvrir	décider
ménager ses efforts	entretenir ses relations	sauver la face
fait appel à ses objectifs	fournit des détails	lui suggère la décision à prendre
stimulant	agréable	précis
rêves et intuitions	relations et sentiments	principes et raisonnements
qui?	pourquoi?	comment?
témoignages et gratifications	garanties et assurances	faits et services
Secteur social	Secteur tertiaire	Secteur technique

Guide des vitamines et des éléments minéraux

Les vitamines liposolubles (solubles dans les corps gras)

Réserves importantes dans le corps; supplément rarement nécessaire.

La vitamine A

Les fonctions: formation et croissance de la peau et des parois internes du corps. Essentielle à la vue et à l'intégrité de certaines parties de l'oeil. Augmente également la résistance aux infections. Essentielle à nombre de fonctions chimiques de notre corps.

On la trouve dans: les carottes, les épinards, les fanes de navet et dans d'autres légumes; dans l'huile de palme, les produits laitiers, les oeufs, etc. Le foie est très riche en vitamine A, mais il faut, comme l'ont découvert les habitants du Grand Nord, éviter le foie d'ours polaire ou de poisson car il peut en contenir de trop fortes doses.

Quels sont nos besoins? Cinq mille unités internationales (UI) par jour pour un adulte, qu'un régime alimentaire normal suffit à lui apporter. Tout excès est emmagasiné dans le foie puis déchargé dans le sang, causant un empoisonnement dont les effets secondaires sont parfois mortels.

La vitamine D

Les fonctions: prévient le rachitisme; essentielle à l'absorption du calcium dans les intestins, à la formation et à la croissance normale des os. (Une insuffisance de vitamine D entraîne une mauvaise fixation du calcium que l'organisme doit alors puiser dans les os.) Des dépôts anormaux de calcium se forment parfois sur les os, engendrant, s'ils ne sont pas corrigés par un apport de vitamine D, un handicap physique. Chez l'adulte, il peut y avoir ramollissement des os avec douleurs et difformités par carences de vitamine D.

On la trouve dans: le poisson, les jaunes d'oeufs, le beurre, le fromage et le lait; dans le foie de boeuf, de porc et de mouton. L'action du soleil sur la peau en est cependant la source la plus importante. L'adjonction de vitamine D au lait a été très utile pour assurer une source adéquate de vitamine D aux enfants nord-américains.

Combien nous en faut-il?

Quatre cents unités internationales (UI) par jour pour les enfants et les femmes enceintes ou allaitant. Passé vingt-deux ans, les besoins sont de 200 UI. Les suppléments sont généralement inutiles.

La vitamine E

Les fonctions: essentielle au métabolisme en général; antioxydant important dans la prévention des attaques destructrices d'oxygène sur les graisses non saturées essentielles formant les membranes cellulaires, autant que dans la protection de la vitamine A dans les intestins. Favorise également le maintien du métabolisme des muscles — dont le muscle cardiaque —, des vaisseaux sanguins, du foie, des capillaires rénaux, des cellules cérébrales, etc. Une déficience en vitamine E diminue la production du sperme chez l'homme et augmente le taux de fausses couches chez la femme.

On la trouve dans: les huiles végétales, la plupart des légumes et des fruits, les oeufs et les produits laitiers.

Combien nous en faut-il?

De dix à quinze unités internationales (UI) par jour pour un adulte, bien que des quantités supérieures soient parfois nécessaires, en situation de stress, entre autres. Il semble qu'à court terme, les surdosages n'entraînent aucun effet négatif, mais s'accumulent dans les tissus gras du corps. Par contre, à long terme, les effets négatifs étant encore inconnus, il est prudent de s'en tenir à moins de 100 UI par jour.

La vitamine K

Ses fonctions: nécessaire à la coagulation, évite les hémorragies internes et externes (coupures ou blessures).

On la trouve dans: les légumes verts, les graines de soya et bien d'autres légumes, le foie de boeuf, le thé vert, les jaunes d'oeufs et les produits laitiers.

Combien nous en faut-il?

De 70 à 140 microgrammes par jour. Cependant, un régime alimentaire normal assure un apport quotidien de 400 mg et rend tout supplément inutile, sauf dans de rares cas. Voyez votre médecin.

Les vitamines hydrosolubles (solubles dans l'eau)

Et donc rejetées dans l'urine; apport régulier indispensable.

La vitamine B1 (thiamine)

Ses fonctions: prévient le béri-béri, caractérisé par un affaiblissement progressant lentement. Également essentielle au bon fonctionnement des tissus nerveux et du muscle cardiaque ainsi qu'à l'approvisionnement énergétique de notre corps.

On la trouve dans: le riz brun naturel, les viandes maigres, les oeufs, le lait et les fruits de mer. En quantités moins importantes dans la plupart des fruits et des légumes. En Asie, où le riz brun est l'un des éléments de base du régime alimentaire, les pauvres ne sont pas atteints de béribéri, contrairement aux riches, qui peuvent s'offrir du riz «raffiné», dépourvu de toute thiamine (et de toute fibre).

Combien nous en faut-il? Environ 1,5 mg pour un adulte. Des doses plus élevées tendent à être toxiques. Les suppléments vitaminiques en contiennent généralement de 1,5 à 20 mg.

La vitamine B2 (riboflavine)

Ses fonctions: essentielle à la peau, aux muqueuses, à la cornée et aux nerfs.

On la trouve dans: le lait et les autres produits laitiers, le foie et les rognons, les fruits et les légumes. Dans les pays occidentaux, le lait apporte environ 40 p. 100 de la dose de riboflavine; le pain et les céréales apportent le reste.

Combien nous en faut-il? De 1,3 à 1,7 mg pour un adulte. Les mégadoses n'ont aucune toxicité connue.

La niacine ou acide nicotinique (anciennement vitamines B3 et B4)

Ses fonctions: prévient la pellagre, problème important résultant d'un régime alimentaire déséquilibré, à laquelle s'associent, dans sa forme classique, ses dermatites, des troubles digestifs (diarrhées) et nerveux (démence), puis la mort.

On la trouve dans: les viandes, dans les grains, les fruits, les légumes ainsi que dans le lait et les oeufs, mais en quantités moindres.

Combien nous en faut-il?
Sous forme d'acide nicotinique, environ 200 mg par jour pour un adulte; une dose supérieure à 500 mg serait nocive. Sous forme de niaciamide, on peut aller jusqu'à 4 000 mg (sans que cela soit indispensable).

La vitamine B6 (pyridoxine)

Fonctions: élément essentiel à la réaction de plus de 60 enzymes mettant en jeu certaines fonctions chimiques primordiales de notre organisme, dont la production des hormones et la conductivité des nerfs. Anémie, faiblesse et formation éventuelle de calculs rénaux sont les symptômes d'une carence en vitamine B6.

On la trouve dans: le foie, le poisson, le riz brun, la plupart des légumes, certains fruits comme la banane et les raisins, ainsi que dans les viandes maigres, le poisson, le beurre, les oeufs, le fromage et le lait. Elle est facilement détruite lors de la mouture des céréales ou de la cuisson des aliments de source animale.

Combien nous en faut-il?
Environ 2,5 mg par jour; pouvant aller jusqu'à 10 mg pour prévenir la formation de calculs rénaux; toute dose supérieure est toxique.

La vitamine B12 (cobalamine)

Ses fonctions: prévient l'anémie pernicieuse. Agit comme composante essentielle de certaines réactions chimiques enzymatiques intervenant dans la conduction nerveuse et dans la synthèse de l'ADN.

On la trouve dans: les aliments d'origine animale uniquement: les viandes, les jaunes d'oeufs, le poisson, le fromage et le lait. Les fruits, les légumes et les grains n'en contiennent pas, c'est pourquoi les végétariens stricts doivent en prendre sous forme de supplément alimentaire.

Combien nous en faut-il?
Environ 6 mg par jour. En l'absence d'un élément essentiel appelé *facteur intrinsèque* sur la paroi interne de l'estomac, l'ingestion est à proscrire; à défaut d'en administrer par injection, une anémie pernicieuse peut survenir. Dans tous les autres cas, les injections de vitamines B12 sont une perte de temps et d'argent.

L'acide folique

Ses fonctions: essentiel à cinq systèmes enzymatiques différents, dont la production de globules rouges et le système nerveux. Aide à prévenir l'anémie.

On le trouve dans: le foie, le son, les épinards, les haricots, les céréales. Des doses moindres se trouvent dans les viandes maigres, les produits laitiers et la plupart des fruits et des légumes frais.

Combien nous en faut-il? Environ 0,4 mg par jour.

La biotine

Ses fonctions: entretien des tissus nerveux, assure une bonne croissance, entre autres. Une déficience entraîne léthargie, dépression, augmentation de la sensibilité au toucher allant même jusqu'à la douleur, très haut taux de cholestérol dans le sang et modifications de l'ECG.

On la trouve dans: les oeufs, le fromage, les fèves de soya, les viandes, les céréales, les fruits et les légumes.

Combien nous en faut-il? Aussi peu que 0,2 mg par jour.

L'acide pantothénique

Ses fonctions: métabolisme des enzymes visant la régulation énergétique. Prévient un affaiblissement des défenses contre les infections, la fatigue, etc.

On la trouve dans: les oeufs, les viandes, le son, les arachides, le brocoli, le chou-fleur et le chou.

Combien nous en faut-il? Environ 10 mg par jour. Un surdosage n'est pas toxique chez l'humain.

La vitamine C

Ses fonctions: prévient le scorbut, maladie autrefois très répandue, qui décimait l'équipage d'un bateau après quelques mois de navigation. La vitamine C est essentielle à un grand nombre de réactions chimiques, à la formation des hormones, à la cicatrisation, à l'équilibre du cholestérol et au passage du fer dans le sang à partir de l'estomac. On en prend des suppléments en cas d'infection des voies urinaires et pour acidifier les urines.

On la trouve dans: les cassis, à fortes doses; les poivrons doux, le brocoli et les choux de Bruxelles, et, ce qui en surprendra beaucoup, en quantités moyennes seulement, dans les agrumes. En Amérique du Nord, les tomates, de par leur consommation importante (environ 70 livres par personne par année), en constituent la source principale. Relativement fragile, elle est détruite par une cuisson trop longue.

Combien nous en faut-il? Pour ce qui est de la prévention du scorbut, les besoins essentiels sont d'environ 60 mg par jour. Cependant, dans la prévention du rhume, comme le suggère le Dr Linus Pauling, les doses peuvent aller jusqu'à

2 300 mg.

Ce point particulier fait l'objet d'un débat au sein de la communauté scientifique, mais il est reconnu que des doses de 1 000 mg n'entraînent aucun effet secondaire chez l'adulte.

D'aucuns accordent des effets miraculeux à des mégadoses de vitamines: longévité, augmentation des fonctions sexuelles, diminution des affections cancéreuses et cardiaques, que ne vient corroborer aucune donnée scientifique. Une auto-administration de vitamines peut avoir des effets secondaires sérieux sinon mortels. Il est évident que l'autodiagnostic et l'autotraitement avec les seules vitamines constitueraient une faute tragique, dans un cas de cancer par exemple. Pour toutes les maladies connues, aucune dose de vitamine ne peut remplacer une consultation.

Cependant, de nombreuses recherches montrent que les besoins en vitamines C et E augmentent grandement en situation de stress; elles tendent également à prouver l'utilité de ces deux vitamines dans la prévention du cancer du colon. Il semble donc raisonnable d'en inclure des doses modérées dans vos suppléments vitaminiques quotidiens.

Les éléments minéraux

Le calcium

Ses fonctions: formation des os, entretien des structures cellulaires, formation des caillots sanguins.

On le trouve dans: le lait, les soupes ou les ragoûts dans lesquels on fait cuire des os, les poudres de gélatine, les noix, les légumineuses et certains légumes frais.

Combien nous en faut-il? Environ 800 mg par jour.

Le potassium

Ses fonctions: métabolisme musculaire, spécialement du muscle cardiaque; tissus nerveux.

On le trouve dans: les viandes, les produits laitiers, les bananes et les tomates très mûres.

Combien nous en faut-il? Aucun supplément n'est nécessaire à moins que votre médecin ne vous en prescrive si vous prenez des diurétiques, par exemple.

Le zinc

Ses fonctions: essentiel à plus de soixante-dix systèmes enzymatiques, dont la synthèse de protéines essentielles à la croissance, à la maturation sexuelle, à la cicatrisation, au bon état de la peau, des cheveux et des ongles. Une forte dose de stress ou un stress chronique (dans lequel la production plus importante de corticoïdes augmente l'excrétion du zinc dans les urines, et provoque une diminution de sa présence dans le sang) entraîne des déficiences. Ces dernières peuvent également apparaître chez certains athlètes en période d'exercice intense et parfois dans les régimes très riches en fibres, qui enrobent le zinc et empêchent son absorption. Les déficiences en zinc provoquent une faible concentration du sperme, une baisse de l'appétit, un affaiblissement de la capacité des globules blancs à lutter contre les infections, les dermatites, la diarrhée, la perte des cheveux et une mauvaise cicatrisation.

Une carence en zinc peut également causer un mauvais métabolisme de la vitamine A, et entraîner la cécité, ainsi que la perte du goût et de l'odorat. Les enfants qui mangent peu ou pas de viande ni de produits laitiers en sont fréquemment atteints, ainsi que les végétariens stricts, le zinc étant mal absorbé en présence de grains.

Chez l'enfant, il est prouvé que la croissance est ralentie par une déficience en zinc, facilement corrigée par un supplément alimentaire.

L'évaluation du taux de zinc révélé par l'analyse des cheveux n'est ni précise ni fiable, le taux contenu dans une partie du corps ne reflétant pas nécessairement le taux de tout le corps. Je recommande donc fortement de ne pas gaspiller votre argent pour passer cet examen. Pour évaluer de façon valable votre taux de zinc, il faut analyser un échantillonnage approprié de cheveux (poussés récemment), ainsi que du sérum sanguin, des globules rouges et, pour les hommes, du sperme.

On *le trouve dans:* la viande, les oeufs, les fruits de mer — particulièrement dans les huîtres (ce qui donne peut-être un certain relent de vérité à la légende selon laquelle les huîtres sont un aphrodisiaque). On en trouve également des quantités plus faibles dans le lait et les produits laitiers. En excès, 150 mg par jour, le zinc occasionne une déficience en cuivre, et cause l'anémie.

Le zinc intéresse fortement les chercheurs particulièrement en ce qui a trait à l'infertilité, puisqu'on en retrouve de fortes concentrations dans la prostate. Selon plusieurs communications médicales, certains cas d'infertilité associée à une trop faible concentration de zinc dans le sperme ont bien répondu à un traitement au zinc, administré sous différentes formes.

En fait, lorsqu'elle est due à une insuffisance sévère en zinc, l'impuissance est totalement corrigée par une thérapie au zinc. Ce type d'impuissance est cependant relativement rare. Avant d'adopter quelque remède maison, il est impératif que votre médecin traitant établisse un bilan complet. Soulignons également que des doses importantes de zinc entraînent une diminution du taux de cuivre dans le sang et une augmentation du cholestérol et des triglycérides. De plus, une dose supérieure à 6 000 mg a des effets des plus désagréables: elle est généralement mortelle.

Combien nous en faut-il?
20 mg par jour.

Le cuivre

Ses fonctions: nécessaire à l'absorption du fer et du zinc et aide à prévenir l'anémie.

On le trouve dans: le foie, les fruits de mer, les noix et les légumineuses. Si vous avez des tuyaux de cuivre, l'eau du robinet vous apporte plus de la moitié de la dose requise par jour. Les déficiences en cuivre sont extrêmement rares.

Combien nous en faut-il?
2 mg par jour.

Le fer

Ses fonctions: essentiel à la formation de l'hémoglobine, élément qui, dans les globules rouges, se compose à l'oxygène pour le transporter dans les tissus. On en retrouve également dans les tissus musculaires. Une déficience en fer entraîne l'anémie, dont les symptômes comprennent fatigue, pâleur, et souffle court dans l'effort physique.

On le trouve dans: les viandes, les volailles et le poisson; les légumineuses, les pois, les grains enrichis, les fruits de mer et les fruits secs. De fortes doses de zinc enrayent son absorption, au contraire de la vitamine C, qui augmente l'absorption du fer mais diminue celle du cuivre. (Comme vous le voyez, le calcul du dosage des minéraux n'est pas à la portée du premier mathématicien amateur venu!)

Combien vous en faut-il?
Compte tenu du fait que 10 p. 100 seulement du fer ingéré est absorbé, environ 20 mg par jour pour les femmes pendant leurs règles, et 10 mg pour les hommes. Les femmes qui sont enceintes ou qui allaitent doivent en prendre plus (voyez votre médecin). Les végétariens prêteront une attention particulière à leur consommation, car le fer de source végétale est plus difficile à absorber que le fer de source animale.

Il est important de consulter votre médecin si votre carence se poursuit malgré l'ingestion de suppléments alimentaires, car elle est très probablement due aux pertes de sang résultant d'un polype précancéreux de l'intestin, bénin s'il est pris tôt, mortel autrement. Une analyse des selles permet de déceler des traces de sang «caché».

Les suppléments de fer sont extrêmement dangereux. N'en prenez *jamais* sans consulter votre médecin préalablement. Un enfant de deux ans est mort d'une ingestion de huit comprimés de fer pris dans le flacon de sa mère, malgré un lavage d'estomac et des soins intensifs en milieu hospitalier.

Remarque sur les acides aminés

Notre corps comporte 22 types d'acides aminés, dont neuf sont essentiels (en d'autres termes, notre organisme doit nécessairement tirer de notre régime alimentaire un apport quotidien suffisant). Chaque protéine est constituée d'une concaténation spécifique d'acides aminés (placés en chaîne ou en échelle). Notre régime alimentaire présente généralement une carence de trois seulement des neuf acides aminés essentiels — tous d'égale importance: la lysine, le tryptophane et la méthionine. Bien équilibré, un régime végétarien autant qu'un régime carné fournit un apport suffisant d'acides aminés. La viande ne présente en effet aucun «type particulier» de protéine. N'oubliez pas qu'il est important de varier votre alimentation, car aucun aliment ne comprend à lui seul des quantités suffisantes de tous les acides aminés essentiels.

Par exemple, les légumes, secs ou frais, sont riches en lysine et en tryptophane, mais ne contiennent pas de méthionine. Le riz et les céréales sont pauvres en lysine et riches en méthionine. Un repas composé de riz et de haricots vous apporterait donc des protéines complètes. Il n'est cependant pas nécessaire de pousser aussi loin l'analyse de votre alimentation. Consommez chaque jour un aliment figurant dans chacun des quatre groupes d'aliments, en gardant à l'esprit que les besoins en protéines sont plus importants chez l'enfant pendant la croissance, chez la femme pendant une grossesse, chez les grands brûlés ou chez les convalescents après une opération chirurgicale, ou encore chez les culturistes, à l'étape de prise de poids.

Guide des calories et des fibres

En lisant ce tableau, vous verrez combien il est facile de choisir des aliments qui augmentent considérablement votre consommation calorique, sans pour autant vous satisfaire. Voici le calcul des calories apportées par un repas type pris dans une chaîne de restaurant:

Hamburger	470
Frites (20)	310
Boisson gazeuse (12 oz)	154
Cornet de crème glacée (1 boule)	174
Total	1 108 calories

Comme vous pouvez le consta-ter, ce repas contient le nombre de calories que toute personne suivant un régime amaigrissant doit absorber en une journée, et non en un repas! De plus, il est très pauvre en fibres, donc malgré toutes ces calories, vous serez affamé quelques heures seulement après l'avoir pris.

Le guide suivant vous permettra de bâtir un régime alimentaire équilibré comprenant des aliments des six catégories. (Voir le chapitre 5.) Les aliments relativement «intéressants», parce qu'ils apportent beaucoup de fibres, figurent en caractères gras.

Aliments	Portion	Calories	Fibres alimentaires en gramme
Agneau, maigre	4 onces	200	—
Ananas, en boîte	1/2 tasse	74	0,8
frais	1/2 tasse	41	0,8
Arachides, grillées	**10**	**100**	**2,2**
Asperges	**1/2 tasse**	**17**	**1,7**
Aubergines	**1/2 tasse**	**17**	**1,5**
Avocat	1/2 moyen	170	2,8
Banane	**1 moyenne**	**100**	**3**

Aliments	Portion	Calories	Fibres alimentaires en gramme
Beurre	1 c. à thé	36	—
	1 c. à table	100	—
Beurre d'arachides	2 c. à soupe	86	1,1
Biscuits aux brisures de chocolat	2 gros	240	—
Fibermed, riches en fibres	**2**	**120**	**10**
Biscuits salés graham	2	54	1,4
Ry-Krisp	2	42	1,75
soda	2	26	0,2
Triscuits	**2**	**50**	**2**
Wheat thins (blé entier)	**6**	**58**	**2,2**
Maïs en épi	**1 moyen**	**70**	**5**
en boîte	**1/2 tasse**	**64**	**5**
Boeuf rôti	4 onces	320	—
steak	4 onces	422	—
Boissons gazeuses			
club soda	6 onces	0	—
cola	6 onces	72	—
à l'orange	6 onces	82	—
Bière d'épinette	6 onces	82	—
7-up	6 onces	72	—
tonic	6 onces	54	—
Brocoli	**1/2 tasse**	**15**	**4**
Bulgur, trempé ou cuit	**1 tasse**	**160**	**9,6**
Cantaloup	1/4 moyenne	38	1
Carottes	**1/2 tasse**	**20**	**3,4**
Céleri	**1/2 tasse**	**10**	**4**
Céréales			
(de son) All-Bran	**1/3 tasse**	**70**	**9**
(de son) Bran Buds	**1/3 tasse**	**70**	**8**
Bran Chex	2/3 tasse	90	6,4
Bran Flakes	2/3 tasse	90	4
Bran Muffin Crisp	2/3 tasse	130	4
Craklin Oat Bran	1/2 tasse	120	4
Fiber one	**1/2 tasse**	**60**	**12**
Fruit & Fiber	1/2 tasse	90	4
Fruitful Bran	3/4 tasse	120	4
Nabisco 100% Bran	**1/2 tasse**	**70**	**9**
Natural Bran Flakes	2/3 tasse	90	5
Puffed Wheat	1 tasse	43	3,3

Aliments	Portion	Calories	Fibres alimen-taires en gramme
Quaker Oats (à cuire)	10 onces	110	0,3
Raisin Bran	3/4 tasse	110	4
Total	1 tasse	110	2
Wheaties	10 onces	110	2
Cerises			
sucrées, crues	10 onces	38	1,2
en boîte, sirop léger	1/2 tasse	55	1
Champignons,			
Crus	**4**	**4**	**1,4**
Sautés	4	45	1,4
Choucroute (en boîte)	**2/3 tasse**	**15**	**3,1**
Choux			
Cuit	**1/2 tasse**	**11**	**2,8**
Cru	**1/2 tasse**	**8**	**1,5**
Choux de Bruxelles	**1/2 tasse**	**24**	**3**
Choux-fleur	**1/2 tasse**	**12**	**1,8**
Concombre, cru avec la peau	10 tranches	12	0,7
Courge			
Squash	**1/2 tasse**	**8**	**2**
Jaune	**1/2 tasse**	**50**	**3,5**
Courgette (Zucchini)	**1/2 tasse**	**7**	**3**
Dattes	**2**	**39**	**1,2**
Dinde, au four	1 tranche	80	—
Épinards			
Crus	**1 tasse**	**8**	**3,5**
Cuits	**1/2 tasse**	**26**	**7**
Fèves germées (mung)	**1/4 tasse**	**7**	**0,8**
Figues			
Sèches	**3**	**120**	**10,5**
Fraîches	**1**	**30**	**2**
Fraises, crues sans sucre	**1 tasse**	**45**	**3**
Framboises	**1/2 tasse**	**20**	**4,6**
Fromage, cheddar,			
Edam, Gruyère ou parmesan râpé,	1 c. à soupe	28	—
Cottage	1/2 tasse	48	—
Fruits de mer			
Palourdes, en boîte	1/2 tasse	52	—
Crabe	1/2 tasse	84	—

Aliments	Portion	Calories	Fibres alimentaires en gramme
Pétoncles	1/2 tasse	160	—
Crevettes	1/2 tasse	91	—
Gâteau à la semoule de maïs	**2 1/2 po (carré)**	**93**	**3,4**
Hamburger,			
Viande seulement	4 onces	180	—
Avec le pain		400	1,9
Haricots			
Blancs (flageolets)	**1/2 tasse**	**80**	**8**
Blancs	**1/2 tasse**	**94**	**9,7**
En boîte	**1/2 tasse**	**90**	**8**
Lima	**1/2 tasse**	**118**	**3,7**
Noirs	**1/2 tasse**	**95**	**9,7**
Navy	**1/2 tasse**	**80**	**8**
Verts	**1/2 tasse**	**10**	**2,1**
Roses	**1/2 tasse**	**78**	**9,4**
Hot-dog au boeuf			
Saucisse seulement	1	125	—
Avec le pain	1	262	1,9
Huile à salade	1 c. à soupe	100	—
Ignames, cuits ou au four			
dans leur peau	**1 moyen**	**156**	**6,8**
Jambon maigre	2 tranches	75	—
Lait			
Petit lait	1 tasse	80	—
Homogénéisé	1 tasse	161	—
Écrémé	1 tasse	84	—
2%	1 tasse	130	—
Laitue	**1 tasse**	**5**	**0,8**
Légumes verts cuits			
betteraves, cardes, chou frisé	**1/2 tasse**	**20**	**4**
Lentilles			
Noires, cuites	**1/2 tasse**	**108**	**4,1**
Rouges, cuites	**1/2 tasse**	**96**	**3,2**
Macaroni au fromage, au four	1 tasse	497	2,0
Macaroni, blé entier	**1 tasse**	**200**	**5,7**
Maïs soufflé (sans huile ni beurre)	**1 tasse**	**20**	**1**
Margarine	1 c. à soupe	100	—
Marrons, grillés	**2 gros**	**29**	**1,9**
Melon sucré	1/4 moyen	42	1,5

Aliments	Portion	Calories	Fibres alimentaires en gramme
Muffins,			
Au son, sans raisins ni dattes	1	78	2,3
De blé entier	1	125	3,7
Maison, au son ou au blé entier	1	68	2,3
Mûres, crues	1/2 tasse	27	4,4
Noisettes, hachées	1 c. à soupe	49	1,1
Noix du Brésil	2	48	2,5
Noix de coco, séchée,			
Sucrée	1 c. à soupe	46	3,9
Non sucrée	1 c. à soupe	22	3,4
Oeufs			
Durs	1	80	—
Au plat	1	108	—
Oignons,			
Cuits	**1/2 tasse**	22	1,5
Verts	**1/2 tasse**	22	1,6
Olives, vertes ou noires	6	42	1,2
Oranges	1	70	2,4
Pain			
Blé	2 tranches	120	3,6
Son	**2 tranches**	150	7,0
Seigle (grains entiers)	**2 tranches**	108	5,8
Blanc	**2 tranches**	160	1,9
Blé entier	**2 tranches**	140	6,5
Pamplemousse	1/2 moyen	30	0,8
Pastèque	**1 tranche**	68	2,8
Pâtes			
Aux oeufs	**1/2 tasse**	98	3,0
Aux oeufs et au blé entier	**1 tasse**	200	5,7
Pêche			
Au sirop	2 moitiés	70	1,4
Crue	1	38	2,3
Petits pois et carottes congelés	**5 onces**	40	6,2
Poire, crue	**1 moyenne**	70	2,4
Pois			
Verts	**1/2 tasse**	60	9,1
Blancs	1/2 tasse	74	8
Cassés	1/2 tasse	63	6,7
Pois chiches	**1/2 tasse**	86	6

Aliments	Portion	Calories	Fibres alimentaires en gramme
Poisson			
Morue	4 onces	86	—
Flétan	4 onces	100	—
Saumon	4 onces	240	—
Sardines en boîte	4 onces	160	—
Sole	4 onces	86	—
Thon (dans son bouillon)	1/4 tasse	50	—
Poivron vert	**2 c. à soupe**	**4**	**0,3**
Pomme	**1 moyenne**	**70**	**4**
Tarte aux pommes	1 morceau	300	2,7
Compote de pommes			
• sucrée	1/2 tasse	120	2,7
• non sucrée	1/2 tasse	55	2,7
Pomme de terre:			
Au four avec peau	**1 moyenne**	**91**	**5**
Bouillie avec peau	**1 moyenne**	**80**	**3,5**
Frites	10	155	3
En purée	**1/2 tasse**	**85**	**3**
Sucrées, bouillies			
ou au four	**1 petite**	**146**	**4**
Porc			
Bacon	3 tranches	120	—
Désossé, maigre	4 onces	242	—
Poulet			
Viande brune sans peau	4 onces	112	—
Viande brune, avec peau, frite	4 onces	300	—
Viande blanche, sans peau	4 onces	104	—
Viande blanche, avec peau, frite	4 onces	262	—
Produits laitiers:			
Crème à fouetter	1 tasse	869	—
Crème de table	1 tasse	493	—
Crème glacée	1 boule	174	—
Lait glacé	1 boule	137	—
Crème sure	1 tasse	328	—
Yogourt (écrémé)	1 tasse	128	—
Prunes	**2**	**38**	**2**
Pruneaux	3	122	1,9
Raisins secs, sans pépins	1 c. à soupe	29	1

Aliments	Portion	Calories	Fibres alimentaires en gramme
Raisins			
Verts	20	78	1
Rouges ou noirs	20	65	1
Rhubarbe, cuite avec sucre	1/2 tasse	169	2,9
Riz			
Brun	**1/2 tasse**	**83**	**5,5**
Cuisson rapide	1/2 tasse	79	0,7
Blanc	1/2 tasse	79	2,1
Rutabaga (navets jaunes)	**1/2 tasse**	**40**	**3,2**
Sauce brune à la viande	2 c. à soupe	82	—
Saucisson de Bologne	1 tranche	130	—
Spaghetti, blé entier	**1 tasse**	**200**	**5,6**
Tomates			
Crues	**1 petite**	**22**	**1,4**
En boîte	1/2 tasse	21	1
Sauce tomate	1/2 tasse	20	0,5
Ketchup	1 c. à soupe	18	0,2
Tortillas	2 de 6 pouces	140	4

Deuxième semaine	**Total des calories ingérées** (voir le tableau 7.2 ou l'appendice C)	**Total des calories dépensées** (voir le tableau 7.1)
Jour 1	☐ cal.	☐ cal.
Jour 2	☐ cal.	☐ cal.
Jour 3	☐ cal.	☐ cal.
Jour 4	☐ cal.	☐ cal.
Jour 5	☐ cal.	☐ cal.
Jour 6	☐ cal.	☐ cal.
Jour 7	☐ cal.	☐ cal.

Sous-total ☐ cal.   Sous-total ☐ cal.

$\div 7 =$ ☐ Apport calorique quotidien $\div 7 =$ ☐ Dépense calorique quotidienne

APPORT CALORIQUE

☐ − ☐ = ☐

Moyenne des calories ingérées par jour   Moyenne des calories dépensées par jour   Apport calorique moyen net par jour

VARIATION DE POIDS

☐ − ☐ = ☐

Poids au Jour 1   Poids après la deuxième semaine   Variation de poids en 1 sem.

244

Troisième semaine	**Total des calories ingérées** (voir le tableau 7,2 ou l'appendice C)	**Total des calories dépensées** (voir le tableau 7,1)
Jour 1	☐ cal.	☐ cal.
Jour 2	☐ cal.	☐ cal.
Jour 3	☐ cal.	☐ cal.
Jour 4	☐ cal.	☐ cal.
Jour 5	☐ cal.	☐ cal.
Jour 6	☐ cal.	☐ cal.
Jour 7	☐ cal.	☐ cal.

Sous-total ☐ cal.   Sous-total ☐ cal.

$\div\ 7\ =$ ☐ Apport $\div\ 7\ =$ ☐ Dépense
calorique   calorique
quotidien   quotidienne

APPORT CALORIQUE   ☐ **−** ☐ **=** ☐

Moyenne des calories ingérées par jour	Moyenne des calories dépensées par jour	Apport calorique moyen net par jour

VARIATION DE POIDS   ☐ **−** ☐ **=** ☐

Poids au Jour 1	Poids après la deuxième semaine	Variation de poids en 1 sem.

Quatrième semaine	Total des calories ingérées (voir le tableau 7,2 ou l'appendice C)	Total des calories dépensées (voir le tableau 7,1)
Jour 1	☐ cal.	☐ cal.
Jour 2	☐ cal.	☐ cal.
Jour 3	☐ cal.	☐ cal.
Jour 4	☐ cal.	☐ cal.
Jour 5	☐ cal.	☐ cal.
Jour 6	☐ cal.	☐ cal.
Jour 7	☐ cal.	☐ cal.

Sous-total ☐ cal.   Sous-total ☐ cal.

$\div 7 =$ ☐ Apport calorique quotidien $\div 7 =$ ☐ Dépense calorique quotidienne

APPORT CALORIQUE

☐ — ☐ = ☐

Moyenne des calories ingérées par jour   Moyenne des calories dépensées par jour   Apport calorique moyen net par jour

VARIATION DE POIDS

☐ — ☐ = ☐

Poids au Jour 1   Poids après la deuxième semaine   Variation de poids en 1 sem.

Cinquième semaine	Total des calories ingérées (voir le tableau 7.2 ou l'appendice C)	Total des calories dépensées (voir le tableau 7.1)
Jour 1	☐ cal.	☐ cal.
Jour 2	☐ cal.	☐ cal.
Jour 3	☐ cal.	☐ cal.
Jour 4	☐ cal.	☐ cal.
Jour 5	☐ cal.	☐ cal.
Jour 6	☐ cal.	☐ cal.
Jour 7	☐ cal.	☐ cal.

Sous-total ☐ cal. Sous-total ☐ cal.

$\div 7 =$ ☐ Apport calorique quotidien $\div 7 =$ ☐ Dépense calorique quotidienne

APPORT CALORIQUE

☐ — ☐ = ☐

Moyenne des calories ingérées par jour	Moyenne des calories dépensées par jour	Apport calorique moyen net par jour

VARIATION DE POIDS

☐ — ☐ = ☐

Poids au Jour 1	Poids après la deuxième semaine	Variation de poids en 1 sem.

Quelques exemples de repas équilibrés

Comme nous l'avons vu au chapitre 5, les éléments d'un régime équilibré sont divisés en six catégories:

1. Les protéines
2. Les graisses
3. Les hydrates de carbone
4. Les fibres
5. Les vitamines et les éléments minéraux
6. L'eau

Afin de vous assurer que vous absorbez chacun de ces éléments, il est utile, au moment d'établir votre menu, de tenir compte des quatre groupes d'aliments essentiels:

1. Le lait et les produits laitiers
2. Les viandes
3. Les fruits et légumes
4. Les céréales.

De façon générale, en choisissant un aliment dans chacun de ces quatre groupes, il est facile d'équilibrer son régime alimentaire. Vous trouverez ci-dessous quelques repas types basés sur ce principe. (Bien sûr, si vous êtes végétarien ou devez éviter certains aliments pour quelque raison que ce soit, des arrangements seront peut-être nécessaires.)

Petit-déjeuner équilibré type

1. Lait, céréales entières, oeufs brouillés et pain grillé, orange.
2. Fromage, viandes froides, pain de seigle, un demi-pamplemousse.

Déjeuner équilibré type

1. Salade de thon avec laitue et tomates, pain entier grillé, crème glacée.
2. Soupe de légumes, craquelin de blé entier, fromage cottage avec fruits frais.

Dîner équilibré type

1. Poulet et pomme de terre au four, salade, pain, flan au lait.
2. Côtelettes d'agneau, riz brun bouilli, petits pois et carottes, sorbet.

Bibliographie

BEN SABAT, Soly, Stress — de grands spécialistes répondent, Hachette, 1980, 256 pages.

BROWN, Barbara B., Stress et biofeedback, Étincelle, 1978, 292 pages.

CARDINAL, F., Le Stress et vous, Desclez, 1981.

COMFORT, Alex, La Joie du stress, Lattes, 1983, 254 pages.

COUSINS, Norman, Anatomy of an Illness as Perceived by the Patient, New York, Bantam, 1981.

EYLAT, Odette, L'anti-stress, Montréal, Le Jour, 1984, 158 pages.

EYTON, Audrey, Le Régime F, Paris, Marabout, 1984.

FRIEDMAN, Meyer et Ray H. Rosenman, Type A Behavior and Your Heart, New York, Fawcett, 1981.

JOHNSON, Spencer et Kenneth Blanchard, Le Manager minute, France Amérique, 1985, 110 pages.

MANOLINO, Og, The Choice, New York, Bantam, 1984.

MASTERS, William H. et Virginia E. Johnson, Les mésententes sexuelles et leur traitement, Paris, Laffont, 1971.

MASTERS, William H. et Virginia E. Johnson, Les perspectives sexuelles, Medsi, 1980, 400 pages.

PEALE, Norman Vincent, Quand on veut, on peut, Monde différent, 1979.

PEALE, Norman Vincent, Soyons positifs, Presses Sélect, 1979, 264 pages.

PETER, Laurence et Raymond Hull, Le principe de Peter, ou pourquoi tout va toujours mal, L.G.F., 1971.

RENAUD, Jacqueline, Le Stress, Solar, 1985, 175 pages.

SAVOIE et Forget, Le stress au travail, Agence d'Arc, 1983.

SELYE, Hans, Le stress de la vie, Gallimard, 1975, 464 pages.

SELYE, Hans, Le stress de ma vie, Montréal, Stanké, 1976, 165 pages.

SELYE, Hans, Stress sans détresse, Montréal, La Presse, 1974, 175 pages.

WILSON, Larry et Spenser Johnson, The One Minute Sales Person, New York, Morrow, 1984.

Index

A

Adventistes du septième jour, taux d'accidents cardiaques des, 124

Alcool, effets sur la résistance au stress, 80

Apport d'oxygène, effets sur le corps de l'augmentation de l', 55

Appuis familial et social,
effets négatifs sur la résistance au stress, 88-89
effets positifs sur la résistance au stress, 112-113

C

Caféine,
effets physiques, 81-83
effets sur la résistance au stress, 81-83

Calories,
contenues dans certains aliments, 161-162, 249
nécessaires dans un régime équilibré, 77
utilisées pour diverses activités, 160

Cholestérol,
analyses du taux de, 122
diminution du, 122-125
effets des fibres sur le, 127
effets d'une dose excessive de stress sur le, 121
effets sur le corps de l'augmentation du, 50-51
taux associé aux maladies cardiaques, 170-171

Comportement de type A,
caractéristiques du, 172-175
comparaison avec un comportement de type B, 175-176
effets sur les maladies cardiaques, 172-174

passage à un comportement de type B, 179-180
référence à la *Troisième vague*, 176-178

Comportement de type B, 176

Conditionnement physique, importance du, 99-101

Cortisone, effets sur le corps, 40-42

Courbe du taux de sucre dans le sang (illustration), 126

Cousins, Norman, 95

D

Décalage horaire, 140

Diabetes mellitus, effets sur les maladies cardiaques, 169

E

Eau,
ingestion quotidienne nécessaire, 57
utilité dans un régime équilibré, 136-139

Échelle de résistance au stress de Hanson (tableau), 73

Emploi,
effets négatifs sur la résistance au stress, 85-87
effets positifs sur la résistance au stress, 109-110

Endorphine, effets sur le corps de l', 43

Espérance de vie, relation avec le stress, 23-26

Exercices,
guide pour les, 159
importance dans la résistance au stress, 98-101

F

Femmes, la longévité et les, 30

Le docteur
Peter G. Hanson

Avec sa façon directe et souvent humoristique d'aborder la gestion personnelle du stress, le docteur Peter Hanson a captivé l'attention d'auditeurs de tous âges et de tous milieux, tant au Canada qu'aux États-Unis et en Europe.

Né à Vancouver en 1947, Peter Hanson a l'occasion d'habiter, au cours de son enfance, dans cinq des dix provinces du Canada. Très tôt, ses qualités d'orateur se font jour: à quatorze ans, il est directeur de production d'une émission de télévision en direct — en même temps qu'il y présente ses propres monologues.

Cependant, en dépit de ses talents de comique, Peter Hanson a des objectifs de carrière fort sérieux. À l'âge de vingt-trois ans, il est diplômé de l'école de médecine de Toronto. Un an après, il est nommé médecin de l'équipe de football américain de Toronto, les Argonautes; c'est le plus jeune médecin sportif de toute l'Amérique du Nord à occuper ce poste auprès d'une des ligues profession-

nelles majeures.

Pendant trois ans, le docteur Hanson est ensuite attaché au service des urgences d'un hôpital de la banlieue de Toronto. Puis, en 1973, il ouvre un bureau de consultation dont la clientèle dépasse aujourd'hui quatre mille patients actifs âgés de 0 à 117 ans.

Le bureau de consultation du docteur Hanson a fait l'objet de plusieurs articles spécialisés, qui y voient l'un des bureaux les plus innovateurs et les mieux organisés du continent. De façon surprenante, le docteur Hanson fait encore des consultations à domicile.

Pour mesurer la réputation dont il jouit dans le milieu médical, il suffit de souligner qu'il a donné à d'autres médecins des conférences portant sur la réorganisation d'un bureau de consultation et sur sa gestion.

Le docteur Hanson est disponible pour donner des conférences ou organiser des séminaires. Aux États-Unis, veuillez prendre contact avec:

National Speakers Bureau
222 Wisconsin Avenue
Lake Forest, Illinois 60045
Numéro de téléphone:
  (800) 323-9442, ou
  (312) 295-1122
Au Canada, veuillez vous adresser à:
L.M. Ferrier & Associates
3282 Yonge St
Toronto, Ontario, M4N 2L6
Numéro de téléphone:
  (416) 440-0463
Le docteur Hanson se fait également un plaisir de lire le courrier de ses lecteurs. Pour toute question ou tout commentaire, veuillez écrire directement au:
Docteur Peter Hanson
Hanson Stress Management
  Organization
5 Thornbury Crescent
Islington, Ontario M9A 2M1
Selon le volume du courrier, il se peut que le docteur Hanson ne puisse y répondre personnellement.

Table des matières

Ouvrages parus chez les éditeurs du groupe Sogides

* Pour l'Amérique du Nord seulement
** Pour l'Europe seulement
Sans * pour l'Europe et l'Amérique du Nord

═══ANIMAUX═══

* **Art du dressage, L',** Chartier Gilles
Bien nourrir son chat, D'Orangeville Christianz
Cheval, Le, Leblanc Michel
Chien dans votre vie, Le, Swan Marguerite
Éducation du chien de 0 à 6 mois, L', DeBuyser Dr Colette
   et Dr Dehasse Joël
Encyclopédie des oiseaux, Godfrey W. Earl
Guide de l'oiseau de compagnie, Le, Dr R. Dean
   Axelson
Mammifère de mon pays,, Duchesnay St-Denis J. et
   Dumais Rolland
* **Mon chat, le soigner, le guérir,** D'Orangeville Christian
Observations sur les mammifères, Provencher Paul
Papillons du Québec, Les,Veilleux Christian et
   PrévostBernard
Petite ferme, T.1,
Les animaux, Trait Jean-Claude

Vous et vos petits rongeurs, Eylat Martin
Vous et vos poissons d'aquarium, Ganiel Sonia
Vous et votre berger allemand, Eylat Martin
Vous et votre boxer, Herriot Sylvain
Vous et votre caniche, Shira Sav
Vous et votre chat de gouttière, Gadi Sol
Vous et votre chow-chow, Pierre Boistel
Vous et votre collie, Ethier Léon
Vous et votre doberman, Denis Paula
Vous et votre fox-terrier, Eylat Martin
Vous et votre husky, Eylat Marti
Vous et vos oiseaux de compagnie, Huard-Viau Jacqueline
Vous et votre schnauzer, Eylat Martin
Vous et votre setter anglais, Eylat Martin
Vous et votre siamois, Eylat Odette
Vous et votre teckel, Boistel Pierre
Vous et votre yorkshire, Larochelle Sandra

═══ARTISANAT/ARTS MÉNAGERS═══

Appareils électro-ménagers, Prentice-Hall du Canada
* **Art du pliage du papier,** Harbin Robert
Artisanat québécois, T.1, Simard Cyril

Artisanat québécois, T.2, Simard Cyril
Artisanat québécois, T.3, Simard Cyril
Artisanat québécois, T.4, Simard Cyril, Bouchard Jean-Louis

1

Bon Fignolage, Le, Arvisais Dolorès A.
Coffret artisanat, Simard Cyril
* Construire des cabanes d'oiseaux, Dion André
Construire sa maison en bois rustique, Mann D.
    et Skinulis R.
Crochet Jacquard, Le, Thérien Brigitte
Cuir, Le, Saint-Hilaire Louis et Vogt Walter
Dentelle, T.1, La, De Seve Andrée-Anne
Dentelle, T.2, La, De Seve Andrée-Anne
Dessiner et aménager son terrain, Prentice-Hall du Canada
Encyclopédie de la maison québécoise, Lessard Michel
Encyclopédie des antiquités, Lessard Michel
Entretien et réparation de la maison, Prentice-Hall du
    Canada

Guide du chauffage au bois, Flager Gordon
J'apprends à dessiner, Nassh Joanna
Je décore avec des fleurs, Bassili Mimi
J'isole mieux, Eakes Jon
Mécanique de mon auto, La, Time-Life
Outils manuels, Les, Prentice Hall du Canada
Petits appareils électriques, Prentice-Hall du Canada
Piscines, Barbecues et patio
Taxidermie, La, Labrie Jean
Terre cuite, Fortier Robert
Tissage, Le, Grisé-Allard Jeanne et Galarneau Germaine
Tout sur le macramé, Harvey Virginia L.
Trucs ménagers, Godin Lucille
Vitrail, Le, Bettinger Claude

ART CULINAIRE

À table avec soeur Angèle, Soeur Angèle
Art d'apprêter les restes, L', Lapointe Suzanne
Art de la cuisine chinoise, L', Chan Stella
Art de la table, L', Du Coffre Marguerite
Barbecue, Le, Dard Patrice
Bien manger à bon compte, Gauvin Jocelyne
Boîte à lunch, La, Lambert Lagacé Louise
Brunches & petits déjeuners en fête, Bergeron Yolande
100 recettes de pain faciles à réaliser, Saint-Pierre
    Angéline
Cheddar, Le, Clubb Angela
Cocktails & punchs au vin, Poister John
Cocktails de Jacques Normand, Normand Jacques
Coffret la cuisine
Confitures, Les, Godard Misette
Congélation de A à Z, La, Hood Joan
Congélation des aliments, Lapointe Suzanne
Conserves, Les, Sansregret Berthe
Cornichons, Ketchups et Marinades, Chesman Andrea
Cuisine au wok, Solomon Charmaine
Cuisine aux micro-ondes 1 et 2 portions, Marchand
    Marie-Paul
Cuisine chinoise, La, Gervais Lizette
* Cuisine chinoise traditionnelle, La, Chen Jean
* Cuisine créative Campbell, La, Cie Campbell
Cuisine de Pol Martin, Martin Pol
* Cuisine du monde entier avec Weight Watchers,
    Weight Watchers
Cuisine facile aux micro-ondes, Saint-Amour Pauline
Cuisine joyeuse de soeur Angèle, La, Soeur Angèle
Cuisine micro-ondes, La, Benoît Jehane
Cuisine santé pour les aînés, Hunter Denyse

Cuisiner avec le four à convection, Benoît Jehane
Cuisinez selon le régime Scarsdale, Corlin Judith
Cuisinier chasseur, Le, Hugueney Gérard
Entrées chaudes et froides, Dard Patrice
Faire son pain soi-même, Murray Gill Janice
Faire son vin soi-même, Beaucage André
Fine cuisine aux micro-ondes, La, Dard Patrice
Fondues & flambées de maman Lapointe, Lapointe
    Suzanne
Fondues, Les, Dard Partice
Menus pour recevoir, Letellier Julien
Muffins, Les, Clubb Angela
Nouvelle cuisine micro-ondes, La, Marchand Marie-Paul et
    Grenier Nicole
Nouvelle cuisine micro-ondes II, La, Marchand
    Marie-Paul et Grenier Nicole
Pâtés à toutes les sauces, Les, Lapointe Lucette
Patés et galantines, Dard Patrice
Pâtisserie, La, Bellot Maurice-Marie
Poissons et fruits de mer, Dard Patrice
Poissons et fruits de mer, Sansregret Berthe
Recettes au blender, Huot Juliette
Recettes canadiennes de Laura Secord, Canadian Home
    Economics Association
Recettes de gibier, Lapointe Suzanne
Recettes de maman Lapointe, Les, Lapointe Suzanne
Recettes Molson, Beaulieu Marcel
Robot culinaire, le, Martin Pol
Salades des 4 saisons et leurs
    vinaigrettes, Dard Patrice
Salades, sandwichs, hors d'oeuvre, Martin Pol
Soupes, potages et veloutés, Dard Patrice

BIOGRAPHIES POPULAIRES

Daniel Johnson, T.1, Godin Pierre
Daniel Johnson, T.2, Godin Pierre
Daniel Johnson - Coffret, Godin Pierre
Dans la fosse aux lions, Chrétien Jean
* Dans la tempête, Lachance Micheline
Duplessis, T.1 - L'ascension, Black Conrad
Duplessis, T.2 - Le pouvoir, Black Conrad
Duplessis - Coffret, Black Conrad
Dynastie des Bronfman, La, Newman Peter C.

Establishment canadien, L', Newman Peter C.
* Maître de l'orchestre, Le, Nicholson Georges
Maurice Richard, Pellerin Jean
Mulroney, Macdonald L.I.
Nouveaux Riches, Les, Newman Peter C.
Prince de l'Église, Le, Lachance Micheline
Saga des Molson, La, Woods Shirley
* Une femme au sommet - Son excellence Jeanne Sauvé,
Woods Shirley E.

DIÉTÉTIQUE

Combler ses besoins en calcium, Hunter Denyse
Contrôlez votre poids, Ostiguy Dr Jean-Paul
* Cuisine sage, Lambert-Lagacé Louise
* Diète rotation, La, Katahn Dr Martin
Diététique dans la vie quotidienne, Lambert-Lagacé
Louise
Livre des vitamines, Le, Mervyn Leonard
* Maigrir en santé, Hunter Denyse
* Menu de santé, Lambert-Lagacé Louise
Oubliez vos allergies, et... bon appétit, Association de
l'information sur les allergies

Petite & grande cuisine végétarienne, Bédard Manon
* Plan d'attaque Weight Watchers, Le, Nidetch Jean
Plan d'attaque plus Weight Watchers, Le, Nidetch Jean
Recettes pour aider à maigrir, Ostiguy Dr Jean-Paul
* Régimes pour maigrir, Beaudoin Marie-Josée
Sage bouffe de 2 à 6 ans, La, Lambert-Lagacé Louise
Weight Watchers - cuisine rapide et savoureuse,
Weight Watchers
Weight Watchers-Agenda 85 -Français, Weight Watchers
Weight Watchers-Agenda 85 -Anglais, Weight Watchers

DIVERS

* Acheter ou vendre sa maison, Brisebois Lucille
* Acheter et vendre sa maison ou son condominium,
Brisebois Lucille
* Acheter une franchise, Levasseur Pierre
* Bourse, La, Brown Mark
* Chaînes stéréophoniques, Les, Poirier Gilles
* Choix de carrières, T.1, Milot Guy
* Choix de carrières, T.2, Milot Guy
* Choix de carrières, T.3, Milot Guy
* Comment rédiger son curriculum vitae, Brazeau Julie
* Comprendre le marketing, Levasseur Pierre
* Conseils aux inventeurs, Robic Raymond
* Devenir exportateur, Levasseur Pierre
* Dictionnaire économique et financier, Lafond Eugène
* Faire son testament soi-même, Me Poirier Gérald,
Lescault Nadeau Martine (notaire)
* Faites fructifier votre argent, Zimmer Henri B.
Finances, Les, Hutzler Laurie H.
* Gérer ses ressources humaines, Levasseur Pierre
* Gestionnaire, Le, Colwell Marian
* Guide de la haute-fidélité, Le, Prin Michel
* Je cherche un emploi, Brazeau Julie
* Lancer son entreprise, Levasseur Pierre
Leadership, Le, Cribbin, James J.

Livre de l'étiquette, Le, Du Coffre Marguerite
* Loi et vos droits, La, Marchand Me Paul-Émile
Meeting, Le, Holland Gary
Mémo, Le, Reimold Cheryl
Notre mariage (étiquette et
planification), Du Coffre, Marguerite
Patron, Le, Reimold Cheryl
Relations publiques, Les, Doin Richard, Lamarre Daniel
* Règles d'or de la vente, Les, Kahn George N.
* Roulez sans vous faire rouler, T.3, Edmonston Philippe
Savoir vivre aujourd'hui, Fortin Jacques Marcelle
Séjour dans les auberges du Québec, Cazelais Normand et
Coulon Jacques
Stratégies de placements, Nadeau Nicole
Temps des fêtes au Québec, Le, Montpetit Raymond
Tenir maison, Gaudet-Smet Françoise
* Tout ce que vous devez savoir sur le condominium,
Dubois Robert
Univers de l'astronomie, L', Tocquet Robert
Vente, La, Hopkins Tom
* Votre argent, Dubois Robert
Votre système vidéo, Boisvert Michel et Lafrance André A.
* Week-end à New York, Tavernier-Cartier Lise

ENFANCE

ÉSOTÉRISME

HISTOIRE

INFORMATIQUE

PHOTOGRAPHIE (ÉQUIPEMENT ET TECHNIQUE)

* **Apprenez la photographie avec Antoine Desilets,** Desilets Antoine
* **Chasse photographique,** Coiteux Louis
* **8/Super 8/16,** Lafrance André
* **Initiation à la Photographie,** London Barbara
* **Initiation à la Photographie-Canon,** London Barbara
* **Initiation à la Photographie-Minolta,** London Barbara
* **Initiation à la Photographie-Nikon,** London Barbara

* **Initiation à la Photographie-Olympus,** London Barbara
* **Initiation à la Photographie-Pentax,** London Barbara
* **Je développe mes photos,** Desilets Antoine
* **Je prends des photos,** Desilets Antoine
* **Photo à la portée de tous,** Desilets Antoine
* **Photo guide,** Desilets Antoine

PSYCHOLOGIE

* **Âge démasqué, L',** De Ravinel Hubert
* **Aider mon patron à m'aider,** Houde Eugène
* **Amour de l'exigence à la préférence,** Auger Lucien
* **Au-delà de l'intelligence humaine,** Pouliot Élise
* **Auto-développement, L',** Garneau Jean
* **Bonheur au travail, Le,** Houde Eugène
* **Bonheur possible, Le,** Blondin Robert
* **Chimie de l'amour, La,** Liebowitz Michael
* **Coeur à l'ouvrage, Le,** Lefebvre Gérald
* **Coffret psychologie moderne Colère, La,** Tavris Carol
* **Comment animer un groupe,** Office Catéchèsse
* **Comment avoir des enfants heureux,** Azerrad Jacob
* **Comment déborder d'énergie,** Simard Jean-Paul
* **Comment vaincre la gêne,** Catta Rene-Salvator
* **Communication dans le couple, La,** Granger Luc
* **Communication et épanouissement personnel,** Auger Lucien
* **Comprendre la névrose et aider les névrosés,** Ellis Albert
* **Contact,** Zunin Nathalie
* **Courage de vivre, Le,** Kiev Docteur A.
* **Courage et discipline au travail,** Houde Eugène
* **Dynamique des groupes,** Aubry J.-M. et Saint-Arnaud Y.
* **Élever des enfants sans perdre la boule,** Auger Lucien
* **Émotivité et efficacité au travail,** Houde Eugène
* **Enfant paraît... et le couple demeure, L',** Dorman Marsha et Klein Diane
* **Enfants de l'autre, Les,** Paris Erna
* **Être soi-même,** Corkille Briggs D.
* **Facteur chance, Le,** Gunther Max
* **Fantasmes créateurs, Les,** Singer Jérôme
* **Infidélité, L',** Leigh Wendy
* **Intuition, L',** Goldberg Philip
* **J'aime,** Saint-Arnaud Yves
* **Journal intime intensif,** Progoff Ira
* **Miracle de l'amour, Un,** Kaufman Barry Neil

* **Mise en forme psychologique,** Corrière Richard
* **Parle-moi... J'ai des choses à te dire,** Salome Jacques
* **Penser heureux,** Auger Lucien
* **Personne humaine, La,** Saint-Arnaud Yves
* **Plaisirs du stress, Les,** Hanson Dr Peter G.
* **Première impression, La,** Kleinke Chris, L.
* **Prévenir et surmonter la déprime,** Auger Lucien
* **Prévoir les belles années de la retraite,** D. Gordon Michael
* **Psychologie dans la vie quotidienne,** Blank Dr Léonard
* **Psychologie de l'amour romantique,** Braden Docteur N.
* **Qui es-tu grand-mère? Et toi grand-père?** Eylat Odette
* **S'affirmer et communiquer,** Beaudry Madeleine
* **S'aider soi-même,** Auger Lucien
* **S'aider soi-même d'avantage,** Auger Lucien
* **S'aimer pour la vie,** Wanderer Dr Zev
* **Savoir organiser, savoir décider,** Lefebvre Gérald
* **Savoir relaxer et combattre le stress,** Jacobson Dr Edmund
* **Se changer,** Mahoney Michael
* **Se comprendre soi-même par des tests,** Collectif
* **Se concentrer pour être heureux,** Simard Jean-Paul
* **Se connaître soi-même,** Artaud Gérard
* **Se contrôler par le biofeedback,** Ligonde Paultre
* **Se créer par la Gestalt,** Zinker Joseph
* **S'entraider,** Limoges Jacques
* **Se guérir de la sottise,** Auger Lucien
* **Séparation du couple, La,** Weiss Robert S.
* **Sexualité au bureau, La,** Horn Patrice
* **Syndrome prémenstruel, Le,** Shreeve Dr Caroline
* **Vaincre ses peurs,** Auger Lucien
* **Vivre à deux: plaisir ou cauchemar,** Duval Jean-Marie
* **Vivre avec sa tête ou avec son coeur,** Auger Lucien
* **Vivre c'est vendre,** Chaput Jean-Marc
* **Vivre jeune,** Waldo Myra
* **Vouloir c'est pouvoir,** Hull Raymond

5

JARDINAGE

Culture des fleurs, des fruits, Prentice-Hall du Canada
Encyclopédie du jardinier, Perron W.H.
Guide complet du jardinage, Wilson Charles
J'aime les violettes africaines, Davidson Robert

Petite ferme, T. 2 - Jardin potager, Trait Jean-Claude
Plantes d'intérieur, Les, Pouliot Paul
Techniques du jardinage, Les, Pouliot Paul
* Terrariums, Les, Kayatta Ken

JEUX/DIVERTISSEMENTS

Améliorons notre bridge, Durand Charles
* Bridge, Le, Beaulieu Viviane
Clés du scrabble, Les, Sigal Pierre A.
Collectionner les timbres, Taschereau Yves
* Dictionnaire des mots croisés, noms communs, Lasnier
Paul
* Dictionnaire des mots croisés, noms propres, Piquette
Robert

* Dictionnaire raisonné des mots croisés, Charron
Jacqueline
Finales aux échecs, Les, Santoy Claude
Jeux de société, Stanké Louis
* Jouons ensemble, Provost Pierre
Livre des patiences, Le, Bezanovska M. et Kitchevats P.
* Ouverture aux échecs, Coudari Camille
Scrabble, Le, Gallez Daniel
Techniques du billard, Morin Pierre

LINGUISTIQUE

* Anglais par la méthode choc, L', Morgan Jean-Louis
* J'apprends l'anglais, Silicani Gino

Petit dictionnaire du joual, Turenne Auguste
Secrétaire bilingue, La, Lebel Wilfrid

LIVRES PRATIQUES

Bonnes idées de maman Lapointe, Les, Lapointe Lucette *
Chasse-taches, Le, Cassimatis Jack
* Maîtriser son doigté sur un clavier, Lemire Jean-Paul

Se protéger contre le vol, Kabundi Marcel et Normandeau
André
Temps c'est de l'argent, Le, Davenport Rita

MUSIQUE ET CINÉMA

* Guitare, La, Collins Peter
Piano sans professeur, Le, Evans Roger

Wolfgang Amadeus Mozart raconté en 50 chefs-d'oeuvre
Roussel Paul

NOTRE TRADITION

Coffret notre tradition Écoles de rang au Québec, Les,
Dorion Jacques
Encyclopédie du Québec, T.1, Landry Louis
Encyclopédie du Québec, T.2, Landry Louis
Histoire de la chanson québécoise, L'Herbier Benoît
Maison traditionnelle, La, Lessard Micheline

Moulins à eau de la vallée du Saint-Laurent, Adam
Villeneuve
Objets familiers de nos ancêtres, Genet Nicole
* Sculpture ancienne au Québec, La, Porter John R. et Bélisle
Jean
Vive la compagnie, Daigneault Pierre

ROMANS/ESSAIS

Adieu Québec, Bruneau André
Baie d'Hudson, La, Newman Peter C.
Bien-pensants, Les, Berton Pierre
Bousille et les justes, Gélinas Gratien
Coffret Joey
C.P., Susan Goldenberg
Commettants de Caridad, Les, Thériault Yves
Deux Innocents en Chine Rouge, Hébert Jacques
Dome, Jim Lyon
* **Frères divorcés, Les,** Godin Pierre
IBM, Sobel Robert
Insolences du Frère Untel, Les, Untel Frère
ITT, Sobel Robert
J'parle tout seul, Coderre Emile

Lamia, Thyraud de Vosjoli P.L.
Mensonge amoureux, Le, Blondin Robert
Nadia, Aubin Benoît
Oui, Lévesque René
Premiers sur la lune, Armstrong Neil
* **Sur les ailes du temps (Air**
Canada), Smith Philip
Telle est ma position, Mulroney Brian
Terrosisme québécois, Le, Morf Gustave
* **Trois semaines dans le hall du Sénat,** Hébert Jacques
Un doux équilibre, King Annabelle
* **Un second souffle,** Hébert Diane
Vrai visage de Duplessis, Le, Laporte Pierre

SANTÉ ET ESTHÉTIQUE

Allergies, Les, Delorme Dr Pierre
Art de se maquiller, L', Moizé Alain
* **Bien vivre sa ménopause,** Gendron Dr Lionel
Cellulite, La, Ostiguy Dr Jean-Paul
Cellulite, La, Léonard Dr Gérard J.
Être belle pour la vie, Meredith Bronwen
Exercices pour les aînés, Godfrey Dr Charles, Feldman
Michael
Face lifting par l'exercice, Le, Runge Senta Maria
Grandir en 100 exercises, Berthelet Pierre
Hystérectomie, L', Alix Suzanne
Médecine esthétique, La, Lanctot Guylaine
Obésité et cellulite, enfin la solution, Léonard
Dr Gérard J.
Perdre son ventre en 30 jours H-F, Burstein Nancy et
Matthews Roy
Santé, un capital à préserver, Peeters E.G.

Travailler devant un écran, Feeley Dr Helen
Coffret 30 jours
30 jours pour avoir de beaux
cheveux, Davis Julie
30 jours pour avoir de beaux
ongles, Bozic Patricia
30 jours pour avoir de beaux seins, Larkin Régina
30 jours pour avoir un beau teint, Zizmor Dr Jonathan
30 jours pour cesser de fumer, Holland Gary et Weiss Herman
30 jours pour mieux organiser, Holland Gary
30 jours pour perdre son ventre (homme), Matthews Roy,
Burnstein Nancy
30 jours pour redevenir un
couple amoureux, Nida Patricia K. et Cooney Kevin
30 jours pour un plus grand épanouissement sexuel,
Schneider Alan et Laiken Deidre
* **Vos yeux,** Chartrand Marie et Lepage-Durand Micheline

SEXOLOGIE

Adolescente veut savoir, L', Gendron Lionel
Fais voir, Fleischhaner H.
Guide illustré du plaisir sexuel, Corey Dr Robert E.
Helg, Bender Erich F.
* **Ma sexualité de 0 à 6 ans,** Robert Jocelyne
* **Ma sexualité de 6 à 9 ans,** Robert Jocelyne
* **Ma sexualité de 9 à 12 ans,** Robert Jocelyne

Plaisir partagé, Le, Gary-Bishop Hélène
* **Première expérience sexuelle, La,** Gendron Lionel
* **Sexe au féminin, Le,** Kerr Carmen
* **Sexualité du jeune adolescent,** Gendron Lionel
* **Sexualité dynamique, La,** Lefort Dr Paul
* **Shiatsu et sensualité,** Rioux Yuki

7

≡SPORTS≡

100 trucs de billard, Morin Pierre
Le programme pour être en forme
Apprenez à patiner, Marcotte Gaston
Arc et la chasse, L', Guardon Greg
* Armes de chasse, Les, Petit Martinon Charles
* Badminton, Le, Corbeil Jean
* Canadiens de 1910 à nos jours, Les, Turowetz
Allan et Goyens Chrystian
* Carte et boussole, Kjellstrom Bjorn
* Chasse au petit gibier, La, Paquet Yvon-Louis
Chasse et gibier du Québec, Bergeron Raymond
Chasseurs sachez chasser, Lapierre Lucie
* Comment se sortir du trou au golf, Brien Luc
* Comment vivre dans la nature, Rivière Bill
* Corrigez vos défauts au golf, Bergeron Yves
Curling, Le, Lukowich E.
Devenir gardien de but au hockey, Allair François
Encyclopédie de la chasse au Québec, Leiffet Bernard
Entraînement, poids-haltères, L', Ryan Frank
Exercices à deux, Gregor Carol
Golf au féminin, Le, Bergeron Yves
Grand livre des sports, Le, Le groupe Diagram
Guide complet du judo, Arpin Louis
* Guide complet du self-defense, Arpin Louis
Guide d'achat de l'équipement de tennis, Chevalier Richard
et Gilbert Yvon
Guide de l'alpinisme, Le, Cappon Massimo
Guide de survie de l'armée américaine
Guide des jeux scouts, Association des scouts
Guide du judo au sol, Arpin Louis
Guide du self-defense, Arpin Louis
Guide du trappeur, Le, Provencher Paul
Hatha yoga, Piuze Suzanne
* J'apprends à nager, Lacoursière Réjean
* Jogging, Le, Chevalier Richard
Jouez gagnant au golf, Brien Luc
Larry Robinson, le jeu défensif, Robinson Larry
Lutte olympique, La, Sauvé Marcel
* Manuel de pilotage, Transport Canada

* Marathon pour tous, Anctil Pierre
Maxi-performance, Garfield Charles A. et Bennett Hal Zina
* Médecine sportive, Mirkin Dr Gabe
Mon coup de patin, Wild John
Musculation pour tous, Laferrière Serge
Natation de compétition, La, Lacoursière Réjean
Partons en camping, Satterfield Archie et Bauer Eddie
Partons sac au dos, Satterfield Archie et Bauer Eddie
Passes au hockey, Champleau Claude
Pêche à la mouche, La, Marleau Serge
Pêche à la mouche, Vincent Serge-J.
Pêche au Québec, La, Chamberland Michel
* Planche à voile, La, Maillefer Gérald
* Programme XBX, Aviation Royale du Canada
Provencher, le dernier coureur des bois, Provencher Paul
Racquetball, Corbeil Jean
Racquetball plus, Corbeil Jean
Raquette, La, Osgoode William
* Rivières et lacs canotables, Fédération québécoise du canot-
camping
* S'améliorer au tennis, Chevalier Richard
Secrets du baseball, Les, Raymond Claude
Ski de fond, Le, Roy Benoît
* Ski de randonnée, Le, Corbeil Jean
Soccer, Le, Schwartz Georges
Stratégie au hockey, Meagher John W.
Surhommes du sport, Les, Desjardins Maurice
* Taxidermie, La, Labrie Jean
Techniques du billard, Morin Pierre
* Technique du golf, Brien Luc
Techniques du hockey en URSS, Dyotte Guy
* Techniques du tennis, Ellwanger
* Tennis, Le, Roch Denis
Tous les secrets de la chasse, Chamberland Michel
Vivre en forêt, Provencher Paul
Voie du guerrier, La, Di
Villadorata
Volley-ball, Le, Fédération de volley-ball
Yoga des sphères, Le, Leclerq Bruno

le jour,
éditeur

ANIMAUX

Guide du chat et de son maître, Laliberté Robert
Guide du chien et de son maître, Laliberté Robert

Poissons de nos eaux, Melançon Claude

ART CULINAIRE ET DIÉTÉTIQUE

Armoire aux herbes, L', Mary Jean
Breuvages pour diabétiques, Binet Suzanne
Cuisine du jour, La, Pauly Robert
Cuisine sans cholestérol, Boudreau-Pagé
Desserts pour diabétiques, Binet Suzanne
Jus de santé, Les, Brunet Jean-Marc

Mangez ce qui vous chante, Pearson Dr Leo
Mangez, réfléchissez et devenez svelte, Kothkin Leonid
Nutrition de l'athlète, Brunet Jean-Marc
Recettes Soeur Berthe - été, Sansregret soeur Berthe
Recettes Soeur Berthe - printemps, Sansregret soeur Berthe

ARTISANAT/ARTS MÉNAGERS

Diagrammes de courtepointes, Faucher Lucille
Douze cents nouveaux trucs, Grisé-Allard Jeanne
Encore des trucs, Grisé-Allard Jeanne

Mille trucs madame, Grisé-Allard Jeanne
Toujours des trucs, Grisé-Allard Jeanne

DIVERS

Administrateur de la prise de décision, Filiatreault P. et
  Perreault Y.G.
Administration, développement, Laflamme Marcel
Assemblées délibérantes, Béland Claude
Assoiffés du crédit, Les, Féd. des A.C.E.F.
Baie James, La, Bourassa Robert
Bien s'assurer, Boudreault Carole
Cent ans d'injustice, Hertel François
Ces mains qui vous racontent, Boucher André-Pierre
550 métiers et professions, Charneux Helmy
Coopératives d'habitation, Les, Leduc Murielle
Dangers de l'énergie nucléaire, Les, Brunet Jean-Marc

Dis papa c'est encore loin, Corpatnauy Francis
Dossier pollution, Chaput Marcel
Énergie aujourd'hui et demain, De Martigny François
Entreprise et le marketing, L', Brousseau
Forts de l'Outaouais, Les, Dunn Guillaume
Grève de l'amiante, La, Trudeau Pierre
Hiérarchie ethnique dans la grande entreprise, Rainville
  Jean
Impossible Québec, Brillant Jacques
Initiation au coopératisme, Béland Claude
Julius Caesar, Roux Jean-Louis
Lapokalipso, Duguay Raoul

9

Lune de trop, Une, Gagnon Alphonse
Manifeste de l'Infonie, Duguay Raoul
Mouvement coopératif québécois, Deschêne Gaston
Obscénité et liberté, Hébert Jacques
Philosophie du pouvoir, Blais Martin
Pourquoi le bill 60, Gérin-Lajoie P.

Stratégie et organisation, Desforges Jean et Vianney C.
Trois jours en prison, Hébert Jacques
Vers un monde coopératif, Davidovic Georges
Vivre sur la terre, St-Pierre Hélène
Voyage à Terre-Neuve, De Gébineau comte

ENFANCE

Aidez votre enfant à choisir, Simon Dr Sydney B.
Deux caresses par jour, Minden Harold
Être mère, Bombeck Erma
Parents efficaces, Gordon Thomas

Parents gagnants, Nicholson Luree
Psychologie de l'adolescent, Pérusse-Cholette Françoise
1500 prénoms et significations, Grisé Allard J.

ÉSOTÉRISME

* Astrologie et la sexualité, L', Justason Barbara
Astrologie et vous, L', Boucher André-Pierre
* Astrologie pratique, L', Reinicke Wolfgang
Faire se carte du ciel, Filbey John
Grand livre de la cartomancie, Le, Von Lentner G.
* Grand livre des horoscopes chinois, Le, Lau Theodora
Graphologie, La, Cobbert Anne
* Horoscope et énergie psychique, Hamaker-Zondag
Horoscope chinois, Del Sol Paula

Lu dans les cartes, Jones Marthy
* Pendule et baguette, Kirchner Georg
* Pratique du tarot, La, Thierens E.
Preuves de l'astrologie, Comiré André
Qui êtes-vous? L'astrologie répond, Tiphaine
Synastrie, La, Thornton Penny Traité d'astrologie, Hirsig
    Huguette
Votre destin par les cartes, Dee Nerys

HISTOIRE

Administration en Nouvelle-France, L', Lanctot Gustave
Histoire de Rougemont, Bédard Suzanne
Lutte pour l'information, La, Godin Pierre
Mémoires politiques, Chaloult René
Rébellion de 1837, Saint-Eustache, Globensky Maximillien

Relations des Jésuites T.2
Relations des Jésuites T.3
Relations des Jésuites T.4
Relations des Jésuites T.5

JEUX/DIVERTISSEMENTS

Backgammon, Lesage Denis

LINGUISTIQUE

Des mots et des phrases, T. 1,, Dagenais Gérard
Des mots et des phrases, T. 2, Dagenais Gérard

Joual de Troie, Marcel Jean

NOTRE TRADITION

Ah mes aïeux, Hébert Jacques

Lettre à un Français qui veut émigrer au Québec, Dubuc Carl

OUVRAGES DE RÉFÉRENCE

Petit répertoire des excuses, Le, Charbonneau Christine et Caron Nelson

Règles d'or de la vente, Les, Kahn George N.

PSYCHOLOGIE

* **Adieu,** Halpern Dr Howard
  Adieu Tarzan, Frank Helen
* **Agressivité créatrice,** Bach Dr George
  Aimer, c'est choisir d'être heureux, Kaufman Barry Neil
* **Aimer son prochain comme soi-même,** Murphy Joseph
* **Anti-stress, L',** Eylat Odette
  Arrête! tu m'exaspères, Bach Dr George
  Art d'engager la conversation et de se faire des amis, L', Grabor Don
* **Art de convaincre, L',** Ryborz Heinz
* **Art d'être égoïste, L',** Kirschner Joseph
* **Au centre de soi,** Gendlin Dr Eugène
* **Auto-hypnose, L',** Le Cron M. Leslie
  Autre femme, L', Sevigny Hélène
  Bains Flottants, Les, Hutchison Michael
* **Bien dans sa peau grâce à la technique Alexander,** Stransky Judith
  Ces hommes qui ne communiquent pas, Naifeh S. et White S.G.
  Ces vérités vont changer votre vie, Murphy Joseph
  Chemin infaillible du succès, Le, Stone W. Clément
  Clefs de la confiance, Les, Gibb Dr Jack
  Comment aimer vivre seul, Shanon Lynn
* **Comment devenir des parents doués,** Lewis David
* **Comment dominer et influencer les autres,** Gabriel H.W.
  Comment s'arrêter de fumer, McFarland J. Wayne
* **Comment vaincre la timidité en amour,** Weber Éric
  Contacts en or avec votre clientèle, Sapin Gold Carol
* **Contrôle de soi par la relaxation,** Marcotte Claude
* **Couple homosexuel, Le,** McWhirter David P. et Mattison Andres M.
* **Devenir autonome,** St-Armand Yves
* **Dire oui à l'amour,** Buscaglia Léo
  Ennemis intimes, Bach Dr George
  États d'esprit, Glasser Dr William **Être efficace,** Hanot Marc
  Être homme, Goldberg Dr Herb
  Famille moderne et son avenir, La, Richar Lyn
  Gagner le match, Gallwey Timothy
  Gestalt, La, Polster Erving

  Guide du succès, Le, Hopkins Tom
  Harmonie, une poursuite du succès, L' Vincent Raymond
* **Homme au dessert, Un,** Friedman Sonya
  Homme en devenir, L', Houston Jean
* **Homme nouveau, L', Bodymind,** Dychtwald Ken
  Influence de la couleur, L', Wood Betty
* **Jouer le tout pour le tout,** Frederick Carl
  Maigrir sans obsession, Orback Suisie
  Maîtriser la douleur, Bogin Meg
  Maîtriser son destin, Kirschner Joseph
  Manifester son affection, Bach Dr George
* **Mémoire, La,** Loftus Elizabeth
* **Mémoire à tout âge, La,** Dereskey Ladislaus
* **Mère et fille,** Horwick Kathleen
* **Miracle de votre esprit,** Murphy Joseph
* **Négocier entre vaincre et convaincre,** Warschaw Dr Tessa
  Nouvelles Relations entre hommes et femmes, Goldberg Herb
* **On n'a rien pour rien,** Vincent Raymond
* **Oracle de votre subconscient, L,** Murphy Joseph
  Parapsychologie, La, Ryzl Milan
* **Parlez pour qu'on vous écoute,** Brien Micheline
* **Partenaires,** Bach Dr George
* **Pensée constructive et bon sens,** Vincent Dr Raymond
  Personnalité, La, Buscaglia Léo
  Personne n'est parfait, Weisinger Dr H.
  Pourquoi ne pleures-tu pas?, Yahraes Herbert, McKnew Donald H. Jr., Cytryn Leon
  Pourquoi remettre à plus tard? Burka Jane B. et Yuen L. M.
  Pouvoir de votre cerveau, Le, Brown Barbara
  Prospérité, La, Roy Maurice
* **Psy-jeux,** Masters Robert
* **Puissance de votre subconscient, La,** Murphy Dr Joseph
  Reconquête de soi, La, Paupst Dr James C.
* **Réfléchissez et devenez riche,** Hill Napoléon
* **Réussir,** Hanot Marc
  Rythmes de votre corps, Les, Weston Lee

11

S'aimer ou le défi des relations humaines, Buscaglia Léo*

* Secrets de la communication, Bandler Richard

Se vider dans la vie et au travail, Pines Ayala M.
* Secrets de la communication, Bandler Richard
* Sous le masque du succès, Harvey Joan C. et Datz Cynthia *
* Succès par la pensée constructive, Le, Hill Napoléon
* Technostress, Brod Craig
* Thérapies au féminin, Les, Brunel Dominique
Tout ce qu'il y a de mieux, Vincent Raymond
Triomphez de vous-même et des autres, Murphy Dr Joseph

Univers de mon subsconscient, L', Dr Ray Vincent
Vaincre la dépression par la volonté et l'action, Marcotte Claude
Vers le succès, Kassoria Dr Irène C.
Vieillir en beauté, Oberleder Muriel
Vivre avec les imperfections de l'autre, Janda Dr Louis H.
* Vivre c'est vendre, Chaput Jean-Marc
* Vivre heureux avec le strict nécessaire, Kirschner Josef
Votre perception extra sensorielle, Milan Dr Ryzl
Votre talon d'Achille, Bloomfield Dr. Harold

ROMANS/ESSAIS

À la mort de mes 20 ans, Gagnon P.O.
Affrontement, L', Lamoureux Henri
Bois brûlé, Roux Jean-Louis
100 000e exemplaire, Le, Dufresne Jacques
C't'a ton tour Laura Cadieux, Tremblay Michel
Cité dans l'oeuf, La, Tremblay Michel
Coeur de la baleine bleue, Le Poulin Jacques
Coffret petit jour, Martucci Abbé Jean
Colin-Maillard, Hémon Louis
Contes pour buveurs attardés, Tremblay Michel
Contes érotiques indiens, Schwart Herbert
Crise d'octobre, Pelletier Gérard
Cyrille Vaillancourt, Lamarche Jacques
Desjardins Al., Homme au service, Lamarche Jacques
De Z à A, Losique Serge
Deux Millième étage, Le, CarrierRoch
D'Iberville, Pellerin Jean
Dragon d'eau, Le, Holland R.F.
Équilibre instable, L', Deniset Louis
Éternellement vôtre, Péloquin Claude
Femme d'aujourd'hui, La, Landsberg Michele
Femme de demain, Keeton Kathy
Femmes et politique, Cohen Yolande
Filles de joie et filles du roi, Lanctot Gustave
Floralie où es-tu, Carrier Roch

Fou, Le, Châtillon Pierre
Français langue du Québec, Le, Laurin Camille
Hommes forts du Québec, Weider Ben
Il est par là le soleil, Carrier Roch
J'ai le goût de vivre, Delisle Isabelle
J'avais oublié que l'amour, Doré-Joyal Yves
Jean-Paul ou les hasards de la vie, Bellier Marcel
Johnny Bungalow, Villeneuve Paul
Jolis Deuils, Carrier Roch
Lettres d'amour, Champagne Maurice
Louis Riel patriote, Bowsfield Hartwell
Louis Riel un homme à pendre, Osier E.B.
Ma chienne de vie, Labrosse Jean-Guy
Marche du bonheur, La, Gilbert Normand
Mémoires d'un Esquimau, Metayer Maurice
Mon cheval pour un royaume, Poulin J.
Neige et le feu, La, Baillargeon Pierre
N'Tsuk, Thériault Yves
Opération Orchidée, Villon Christiane
Orphelin esclave de notre monde, Labrosse Jean
Oslovik fait la bombe, Oslovik
Parlez-moi d'humour, Hudon Normand
Scandale est nécessaire, Le, Baillargeon Pierre
Vivre en amour, Delisle Lapierre

SANTÉ

Alcool et la nutrition, L', Brunet Jean-Marc
Bruit et la santé, Le, Brunet Jean-Marc
Chaleur peut vous guérir, La, Brunet Jean-Marc
Échec au vieillissement prématuré, Blais J.
Greffe des cheveux vivants, Guy Dr
Guérir votre foie, Jean-Marc Brunet
Information santé, Brunet Jean-Marc
Magie en médecine, Sylva Raymond
Maigrir naturellement, Lauzon Jean-Luc

Mort lente par le sucre, Duruisseau Jean-Paul
40 ans, âge d'or, Taylor Eric
Recettes naturistes pour arthritiques et rhumatisants, Cuillerier Luc
* Santé de l'arthritique et du rhumatisant, Labelle Yvan
* Tao de longue vie, Le, Soo Chee
Vaincre l'insomnie, Filion Michel, Boisvert Jean-Marie, Melanson Danielle
Vos aliments sont empoisonnés, Leduc Paul

12

SEXOLOGIE

* **Aimer les hommes pour toutes sortes de bonnes raisons,** Nir Dr Yehuda
* **Apprentissage sexuel au féminin, L',** Kassoria Irene
* **Comment faire l'amour à la même personne pour le reste de votre vie,** O'Connor Dagmar
* **Comment faire l'amour à un homme,** Penney Alexandra
* **Comment faire l'amour ensemble,** Penney Alexandra
Dépression nerveuse et le corps, La, Lowen Dr Alexander
Drogues, Les, Boutot Bruno

* **Femme célibataire et la sexualité, La,** Robert M.
* **Jeux de nuit,** Bruchez Chantal
Magie du sexe, La, Penney Alexandra
* **Massage en profondeur, Le,** Bélair Michel
Massage pour tous, Le, Morand Gilles
Première fois, La, L'Heureux Christine
Rapport sur l'amour et la sexualité, Brecher Edward
Sexualité expliquée aux adolescents, La, Boudreau Yves
Sexualité expliquée aux enfants, La, Cholette Pérusse F.

SPORTS

Baseball-Montréal, Leblanc Bertrand
Chasse au Québec, Deyglun Serge
Chasse et gibier du Québec, Guardon Greg
Exercice physique pour tous, Bohemier Guy
Grande forme, Baer Brigitte
Guide des pistes cyclables, Guy Côté
Guide des rivières du Québec, Fédération canot-kayac
Lecture des cartes, Godin Serge
Offensive rouge, L', Boulonne Gérard

Pêche et coopération au Québec, Larocque Paul
Pêche sportive au Québec, Deyglun Serge
Raquette, La, Lortie Gérard
Santé par le yoga, Piuze Suzanne
Saumon, Le, Dubé Jean-Paul
Ski nordique de randonnée, Brady Michael
Technique canadienne de ski, O'Connor Lorne
Truite et la pêche à la mouche, La, Ruel Jeannot
Voile, un jeu d'enfants, La, Brunet Mario

ROMANS/ESSAIS/THÉATRE

Andersen Marguerite,
De mémoire de femme
Aquin Hubert,
Blocs erratiques
Archambault Gilles,
La fleur aux dents
Les pins parasols
Plaisirs de la mélancolie
Atwood Margaret,
Les danseuses et autres nouvelles
La femme comestible
Marquée au corps
Audet Noël,
Ah, L'amour l'amour

Baillie Robert,
La couvade
Des filles de beauté
Barcelo François,
Agénor, Agénor, Agénor et Agénor
Beaudin Beaupré Aline,
L'aventure de Blanche Morti
Beaudry Marguerite,
Tout un été l'hiver
Beaulieu Germaine,
Sortie d'elle(s) mutante

14

Marchessault Jovette,
   La mère des herbes
Marcotte Gilles,
   La littérature et le reste
Marteau Robert,
   Entre temps
Martel Émile,
   Les gants jetés
Martel Pierre,
   Y'a pas de métro à Gélude-
   La-Roche
Monette Madeleine,
   Le double suspect
   Petites violences
Monfils Nadine,
   Laura Colombe, contes
   La velue
Ouellette Fernand,
   La mort vive
   Tu regardais intensément Geneviève
Paquin Carole,
   Une esclave bien payée
Paré Paul,
   L'improbable autopsie
Pavel Thomas,
   Le miroir persan
Poupart Jean-Marie,
   Bourru mouillé
Robert Suzanne,
   Les trois soeurs de personneVulpera
Robertson Heat,
   Beauté tragique

Ross Rolande,
   Le long des paupières brunes
Roy Gabrielle,
   Fragiles lumières de la terre
Saint-Georges Gérard,
   1, place du Québec Paris VIe
Sansfaçon Jean-Robert,
   Loft Story
Saurel Pierre,
   IXE-13
Savoie Roger,
   Le philosophe chat
Svirsky Grigori,
   Tragédie polaire, nouvelles
Szucsany Désirée,
   La passe
Thériault Yves,
   Aaron
   Agaguk
   Le dompteur d'ours
   La fille laide
   Les vendeurs du temple
Turgeon Pierre,
   Faire sa mort comme faire l'amour
   La première personne
   Prochainement sur cet écran
   Un, deux, trois
Trudel Sylvain,
   Le souffle de l'Harmattan
Vigneault Réjean,
   Baby-boomers

COLLECTIFS DE NOUVELLES

Fuites et poursuites
Dix contes et nouvelles fantastiques
Dix nouvelles humoristiques

Dix nouvelles de science-fiction québécoise
Aimer
Crever l'écran

LIVRES DE POCHES 10/10

Aquin Hubert,
   Blocs erratiques
Brouillet Chrystine,
   Chère voisine
Dubé Marcel,
   Un simple soldat
Gélinas Gratien,
   Bousille et les justes
   Ti-Coq
Harvey Jean-Charles,
   Les demi-civilisés

Laberge Albert,
   La scouine
Thériault Yves,
   Aaron
   Agaguk
   Cul-de-sac
   La fille laide
   Le dernier havre
   Le temps du carcajou
   Tayaout

Turgeon Pierre,
Faire sa mort comme faire l'amour
La première personne

NOTRE TRADITION

Aucoin Gérard,
L'oiseau de la vérité
Bergeron Bertrand,
Les barbes-bleues
Deschênes Donald,
C'était la plus jolie des filles
Desjardins Philémon et Gilles Lamontagne,
Le corbeau du mont de la Jeunesse
Dupont Jean-Claude,
Contes de bûcherons

Gauthier Chassé Hélène,
À diable-vent
Laforte Conrad,
Menteries drôles et merveilleuse
Légaré Clément,
La bête à sept têtes
Pierre La Fève

DIVERS

A.S.D.E.Q.,
Québec et ses partenaires
Qui décide au Québec?
Bailey Arthur,
Pour une économie du bon sens
Bergeron Gérard,
Indépendance oui mais
Bowering George,
En eaux trouble
Boissonnault Pierre,
L'hybride abattu
Collectif Clio,
L'histoire des femmes au Québec
Clavel Maurice,
Dieu est Dieu nom de Dieu
Centre des dirigeants d'entreprise,
Relations du travail
Creighton Donald,
Canada - Les débuts
héroiques
De Lamirande Claire,
Papineau
Dupont Pierre,
15 novembre 76
Dupont Pierre et Gisèle Tremblay,
Les syndicats en crise
Fontaine Mario
Tout sur les p'tits journaux z'artistiques
Gagnon G., A. Sicotte et G. Bourrassa,
Tant que le monde s'ouvrira
Gamma groupe,

La société de conservation
Garfinkel Bernie,
Liv Ullmann Ingmar Bergman
Genuist Paul,
La faillite du Canada anglais
Haley Louise,
Le ciel de mon pays, T.1
Le ciel de mon pays, T.2
Harbron John D.,
Le Québec sans le Canada
Hébert Jacques et Maurice F. Strong,
Le grand branle-bas
Matte René,
Nouveau Canada à notre mesure
Monnet François-Mario,
Le défi québécois
Mosher Terry-Ailsin,
L'humour d'Aislin
Pichette Jean,
Guide raisonné des jurons
Powell Robert,
L'esprit libre
Roy Jean,
Montréal ville d'avenir
Sanger Clyde,
Sauver le monde
Schirm François,
Personne ne voudra savoir
Therrien Paul,
Les mémoires de J.E.Bernier

16

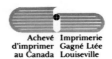

Achevé Imprimerie
d'imprimer Gagné Ltée
au Canada Louiseville